Nancy Bourdon

LE PHÉNOMÈNE

STAR ACADÉMIE

Catalogage avant publication de la Bibliothèque nationale du Canada

Desaulniers, Jean Pierre, 1946-

Le phénomène Star académie

ISBN 2-89035-380-X

1. Star académie (Émission de télévision). 2. Télévision-vérité – Québec (Province). 3. Télévision – Aspect social – Québec (Province). 4. Chanteurs – Québec (Province). I. Légaré, Catherine. II. Titre.

PN1992.8.R43D47 2004 791.45'72 C2003-9418899-5

Canada

Les Éditions Saint-Martin bénéficient de l'aide de la SODEC pour l'ensemble de leur programme de publication et de promotion.
Les Éditions Saint-Martin sont reconnaissantes de l'aide financière qu'elles reçoivent du gouvernement du Canada qui, par l'entremise de son programme d'Aide au Développement de l'industrie de l'Édition, soutient l'ensemble de ses activités d'édition et de commercialisation.

Nous souhaitons remercier Louis Noël, Tib Hoang et Productions J pour leur collaboration à la recherche des photos ainsi que leur gracieuse autorisation d'utilisation.

Édition : Vivianne Moreau

Maquette de couverture : Michel Bérard

Photo en couverture : Luc Bélisle, *Journal de Montréal*

Dépot légal : Bibliothèque nationale du Québec, 1er trimestre 2004
Imprimé au Québec (Canada)

ÉDITIONS
SAINT-MARTIN

5000, rue Iberville, bureau 203
Montréal (Québec) H2H 2S6
Tél. : (514) 529-0920
Téléc. : (514) 529-8384
st-martin@qc.aira.com

LE PHÉNOMÈNE

STAR ACADÉMIE

JEAN PIERRE DESAULNIERS

AVEC LA COLLABORATION DE
CATHERINE LÉGARÉ

Table des matières

Présentation

Photo : Daniel Auclair

Ce livre s'adresse principalement à ceux qui se sont laissé prendre par *Star Académie* de février à avril 2003. Que vous est-il arrivé au juste ? Qu'est-ce qui vous a entraîné dans ce tourbillon au point de refuser de sortir les dimanches soir, de vous coller à l'écran deux heures de plus par semaine et d'acheter un disque que vous n'écoutez déjà plus ? Quelle folie vous a happé tout à coup ?

Ce livre s'adresse aussi à tous ceux qui n'ont pas succombé à l'épidémie, mais qui ont dû vivre avec des contagieux pendant neuf interminables semaines. Vous avez résisté à la vague, soit, mais vous n'avez pas échappé au phénomène. Vous alliez au café ou prendre des marches le dimanche. Vous vous enfermiez dans le garage. Vous avez gueulé un peu, ironisé beaucoup, mais bon ! Le mal était fait, comme on dit... Il fallait laisser passer... Ce n'était qu'une question de temps et de patience... Mais vous auriez quand même offert un million pour ne plus jamais entendre « Et c'est pas fini »...

Ce livre s'adresse moins à ceux qui ont eu la réponse facile et qui ont attribué le succès de cette émission essentiellement à l'orgie promotionnelle qui l'entourait. On a connu un débordement de pubs à vous tomber sur le cœur, à donner des nausées. Mais je n'attribue pas le succès seulement au matraquage marketing. Le show a « pogné » tout de suite et bien avant cette démesure.

Quelques mois auparavant, Quebecor et Guy Cloutier Productions avaient lancé une opération tout aussi gigantesque, monstrueuse, en faveur du film *Les Dangereux.* L'arsenal complet et conjoint des deux gangs : les magazines, TVA, la radio, le disque, les journaux, un spécial *La Fureur* à Radio-Canada, etc. Résultat : le four complet, le bide total... Morale de cette histoire : rien n'est automatique dans ce beau monde. Quelque chose a plu immédiatement dans *Star Académie* et déplu dans *Les Dangereux.* Le bouche à oreille a créé le premier mouvement de fond. Puis la machine a pris le relais en surf pour l'un et en vain pour l'autre.

Or, ce « quelque chose » m'intéresse. C'est lui qui a rendu accros trois millions de téléspectateurs, dont vous peut-être.

Mais il y a plus. À travers cet événement, ce phénomène de l'année 2003, je veux parler de la télé en général, cette grosse bête dans le coin de la maison qui de temps en temps en perturbe complètement les habitudes, y fait souffler un vent d'hystérie et provoque des chicanes épouvantables entre ceux qui, incapables de résister à l'appel, se sentent coupables de céder à la tentation et ceux qui, incapables de fermer leur gueule, se sentent terriblement coupables d'autant d'intolérance subite et incontrôlable. Cinquante ans plus tard, la télé réussit encore à provoquer de telles perturbations, à déchaîner des passions et à causer parfois de véritables scissions familiales.

À quel besoin cet attachement soudain répond-il? Mais aussi pourquoi ne nous atteint-il pas tous en même temps?

De temps à autre, une émission fait l'unanimité et rassemble fidèlement une forte majorité de téléspectateurs, par exemple *Les Filles de Caleb*, *La Petite Vie*, *Un gars, une fille*. On aime ou on ignore, ça s'arrête là. Plus rarement, une émission fait l'unanimité dans la dissension. Ce fut le cas il y a 25 ans avec *Les Tannants* et cette année avec *Star Académie*.

Personne ne peut alors rester indifférent. C'est l'émerveillement ou le scandale...

Je vous propose donc un petit bouquin sur la télévision soudainement devenue irrésistible, provoquant des sursauts de joie semblables à de l'hystérie et des réactions de dédain et de mépris bilieux.

Dans sa réalité brute, *Star Académie* n'avait rien pour mettre le monde à l'envers, ni même fouetter un chat: un show de salle paroissiale revu et amélioré, pour mettre en valeur des amateurs, sur lequel se greffaient un reportage quotidien candide sur la vie des participants et une élection en faveur des meilleurs.

Et pourtant, le Québec s'est subitement divisé entre les « pour » et les « contre ». Entre ceux qui se branchaient à TVA tous les soirs et qui se soumettaient au rite de la « grand-messe » tous les dimanches. Et ceux pour qui *Star Académie* représentait la preuve la plus récente d'une déchéance généralisée de la télévision, de sa commercialisation outrancière accompagnée d'une relance vigoureuse de la quétainerie.

Dès les premières minutes de *Star Académie*, quand j'ai vu Julie Snyder faire sa tournée des régions pour récupérer les élus, j'ai réalisé quel potentiel cette émission véhiculerait. On quittait enfin le Plateau. On ne prétendait plus que tout le génie culturel du Québec s'y résumait... Je me suis précipité sur le magnétoscope et j'ai démarré l'enregistrement.

Ce dont je vais parler ne se rapporte qu'aux enregistrements quotidiens et aux découpures de presse. Je n'ai rencontré ou interrogé personne évoluant autour de l'émission. J'ai bien voulu me rendre au Studio Mel's un dimanche soir. Mais peine perdue : complet, bondé. Je n'ai pas non plus fouillé Internet : le webcam du site rejetait dédaigneusement Mac...

Personnellement, ai-je apprécié ou non *Star Académie* ? Là-dessus, je vais mieux me faire comprendre en conclusion. Permettez-moi d'abord de laisser parler le professionnel...

Chapitre un

LE CONTEXTE

Photo : Olivier Samson Arcand et Yan Lasalle

L'événement

L'hiver 2003 aura été fertile en moments troublants. George W. Bush et ses acolytes ont fait fi de leurs opposants à travers le monde. Ils ont réuni des milliards de billets verts, mobilisé des centaines de milliers d'hommes, déstabilisé l'économie mondiale ainsi que l'échiquier politique international et, bien évidemment, saccagé l'Irak. Les manifestations de millions de citoyens n'ont rien donné. Une fausse guerre encore une fois, comme l'année précédente en Afghanistan, face à un adversaire fantomatique : une armée irakienne désarticulée, des armes de destruction massive introuvables et la clique au pouvoir évanouie.

Second moment fort : Bernard Landry déclenche enfin des élections. Il est temps que le Québec se remette en question après des démissions retentissantes de la députation péquiste, une errance rare au gouvernement et des rumeurs de coups de force des adéquistes. Le débat ne lève pourtant pas, la sauce ne prend pas. Tout tourne autour des trois chefs et reste centré sur eux. Le débat télévisé de mi-parcours est particulièrement terne. Jean Charest rapporte une soi-disant nouvelle déclaration fracassante de Parizeau sur les ethnies. Bernard Landry est déstabilisé. Dès ce moment, les jeux sont faits. Les gens voteront d'une manière étonnante, sortant quasi complètement Mario Dumont du paysage et donnant une dure leçon à Landry. Charest se pointe victorieux sans qu'on s'explique clairement comment il en est arrivé là. Beaucoup de votes erratiques ou perdus dans cette élection. Un coup raté de la démocratie, une fausse balle.

Or, un conflit majeur au Moyen-Orient et une élection cruciale, qualifiée de point final de la révolution tranquille, n'auront pas suffi pour diminuer l'intérêt que des millions de Québécois ont porté au même moment à *Star Académie*. Peu importe les bombardements effrayants de Bagdad, le glissement inquiétant de la campagne électorale, *Star Académie* faisait la une des journaux et des magazines populaires. On en parlait plus qu'abondamment à la radio et à la télé. On ne voyait que ça pratiquement. Le sort des Irakiens et du Québec tout entier comptait-il moins que la victoire de ces jeunes interprètes ?

Pour ou contre Bush ? Pour ou contre Landry, Charest et Dumont ? Mais surtout pour ou contre Annie, Suzie, François, Stéphane et les autres ? De ces trois concours de popularité, le dernier a incontestablement beaucoup plus retenu l'attention que les deux autres. Scandale ? Peut-être. Mais lequel ? Que *Star Académie* existe ? Que *Star Académie* fasse plus tourner les têtes que la guerre ou les élections ? Que la guerre en Irak ait été une gigantesque fumisterie ? Que la politique soit devenue une parade sans objet, sans enjeu, sans énergie sociale, complètement vide et déprimante ?

Les scandales s'additionnent, dirait-on, mais surtout se ressemblent étrangement : l'hiver 2003 aura été la saison des grandes simulations. Simulation de la guerre entre une armée gigantesque et des hères désemparés. Simulation d'une démocratie parlementaire, mettant en scène des mannequins politiques, riches en propos éculés et dénués de la moindre envergure. Simulation du génie artistique à travers un jeu télévisé basé essentiellement sur la popularité et enrobé d'une machine marketing digne des grandes offensives de propagande.

Quelle que soit l'ampleur de l'événement, on y retrouve les mêmes ingrédients de télé-réalité : montages sélectifs, mises en scène, fausses réalités, désinformations. Sauvetage épique et truqué d'une jeune militaire américaine prisonnière et hospitalisée en Irak, bombardement de bunkers inexistants, interprétations fallacieuses des propos de Parizeau, création d'une fausse vie communautaire obligée devant les caméras dans les Laurentides. Bagdad, Montréal ou Sainte-Adèle, tout pour donner l'impression de… tout pour créer l'illusion de…

En dépit d'une disproportion évidente entre les trois événements, un point commun ressort : on a fait du réel, on a créé de toutes pièces une réalité, une guerre, une élection et un concours. On a alors tout fait pour non seulement attirer l'attention des gens, mais aussi pour gagner leur approbation, leur préférence et leur confiance.

George W. Bush, victorieux, s'est pavané en tenue militaire, préparant déjà sa réélection en 2004. Jean Charest, victorieux, s'est installé à Québec en prolongeant le jeu des fausses réalités, comme ce soi-disant «trou» d'un milliard virgule trois dollars laissé béant par les péquistes. Et Wilfred LeBouthillier, victorieux à son tour, a annoncé à tout le monde qu'il reprenait le large pour immerger ses cages à homards, alors qu'il visitait en fait les logements disponibles à Outremont.

Du côté du public, certains ont conservé des souvenirs amers de leurs manifestations infructueuses de février contre la guerre dans des froids inhumains. D'autres se sont prêtés au jeu électoral sans conviction, parce qu'il le faut… pour sauver au moins les apparences de la démocratie. D'autres enfin ont ri jaune en constatant que leurs démonstrations enthousiastes à l'égard de Suzie ou de Jean-François avaient laissé des empreintes significatives sur leur compte de téléphone… Mais si un instrument pouvant mesurer la ferveur existait, il est certain que les partisans de *Star Académie* l'auraient nettement emporté sur les opposants à la clique militaire de la Maison-Blanche ou sur les partisans des trois partis politiques québécois.

À Montréal seulement, 200 000 manifestants ont réagi contre les intentions guerrières de Bush. Parmi les personnes ayant le droit de voter, 76 % se sont présentées aux urnes. Mais à part quelques propos cyniques sur le quotient intellectuel du président des États-Unis, quelques blagues sur la déconfiture de Dumont, quelques heures passées à regarder Bagdad sous les bombardements et c'est tout... Durant ce temps, trois millions de téléspectateurs syntonisaient TVA religieusement chaque dimanche et un million chaque jour de la semaine. Les partisans ont enregistré XXX votes téléphoniques à un huard chacun. Plusieurs brasseries regorgeaient de partisans enthousiastes, à rendre jaloux de rage les candidats politiques qui, de leur côté, se morfondaient dans le porte-à-porte. La police a dû intervenir pour défaire les bouchons sur la petite route menant à la résidence de Sainte-Adèle. Les académiciens ont été submergés de milliers de messages d'amour et d'encouragement. Les ventes des publications Quebecor ont connu des bonds impressionnants. Et pour finir, 300 000 exemplaires du disque *Star Académie* se sont envolés des étalages de chez Archambault et autres disquaires en quelques jours, un record plus impressionnant que ceux de Céline ici...

Le gagnant du jeu, Wilfred, a été consacré trésor national au Nouveau-Brunswick. On a fait de chaque candidat un héros régional. Le fromage Boivin de Jonquière, qu'Annie a réclamé lors d'une conversation téléphonique, a fait une percée vertigineuse à Montréal; il est maintenant disponible dans cent points de vente. Les billets pour la tournée du groupe se sont vendus en quelques heures partout. Pendant tout l'été, les académiciens ont fait des apparitions triomphales dans divers festivals et aux glissades d'eau, alors que le président des États-Unis, George W. Bush, se terrait dans son ranch et que le nouveau premier ministre du Québec, Jean Charest, devait tenir des conciliabules bidons afin que les journalistes lui consacrent quelques instants.

Sommes-nous atteints à jamais par cette « insoutenable légèreté de l'être », pour reprendre l'expression du poète Kundera ? Avons-nous tous été victimes d'une orchestration marketing pire que la machine de guerre américaine ? Sommes-nous simplement tombés sous le charme des odes pastorales de Wilfred ou des cuisses galbées d'Émily ?

Bref, comment expliquer le phénomène *Star Académie* ? Quelles ont été les causes de cette fièvre ? Qu'est-ce qui a moussé un tel enthousiasme collectif répandu à travers tout le Canada français et réparti sur toutes les générations ? Comment *nous* expliquer surtout à travers ce phénomène ?

Un plaisir partagé

Vous pouvez regarder le bulletin météo pour planifier vos sorties de golf ou pour prendre plaisir au joli sourire de la présentatrice. Ou les deux... Il serait donc vain de prétendre dégager un dénominateur commun à tous les téléspectateurs, un seul motif. Nous regardons la télé et fréquentons les médias pour toutes sortes de raisons.

L'adolescente timide admirative de la détermination de Marie-Élaine, le mononcle lubrique reluquant le nombril dégagé de Marie-Mai, la jeune Asiatique adoptée qui voit enfin son équivalent télévisé dans Maritza ou la vieille dame solitaire qui retrouve dans cette émission un brin de sa jeunesse enjouée, etc., plein de cas de figures individuelles peuvent ressortir.

Mais au-delà des plaisirs et appréciations personnels, pouvons-nous identifier quelques besoins collectifs qui ont donné l'occasion au phénomène de prendre son ampleur ? Quand un événement culturel prend de telles proportions, il correspond nécessairement à une gestalt qui est plus que la somme des intérêts individuels. Cet événement réussit à créer un mouvement, un élan collectif qu'il faut éviter de voir comme de l'abrutissement ou de l'abêtissement.

C'est ainsi que, au-delà des attentes personnelles et psychologiques, certaines émissions réussissent à créer de véritables phénomènes de groupe, à répondre à des besoins sociaux globaux qui font jouer la cohésion sociale dans son ensemble.

Par exemple, le Mundial de football de l'an 2000 en France a donné lieu à un tel phénomène. Ces événements provoquent quelque chose de plus qu'un simple rassemblement joyeux ou chagrin. Les gens se regroupent pour se dire la même chose les uns les autres, qu'elle soit heureuse ou malheureuse. Les liens sociaux se créent ou se resserrent lors de ces occasions. Le groupe se parle à lui-même. On s'entend pour renouveler une vision des choses ou en adopter une nouvelle.

Un tel événement permet d'atténuer une douleur commune ou encore de créer une nouvelle confiance chez les individus, mais aussi et surtout entre les individus. La cohésion sociale est renforcée. Il n'est pas nécessaire que tous s'entendent sur la vision en jeu. Certains peuvent même s'y opposer farouchement; elle s'inscrit socialement.

Star Académie a peut-être contribué à renouveler une vision du monde ou à en apporter une nouvelle, sans même que ses promoteurs en aient été conscients. Des centaines de milliers de gens ont plébécisé cette émission et son contenu. D'autres s'y sont farouchement opposés. Mais alors, quelle est cette vision?

L'amorce

Star Académie est une importation. Le concept vient de France. Il appartient à la filiale parisienne d'une compagnie originaire des Pays-Bas, Endemol, spécialisée dans le développement de concepts soi-disant de télé-réalité. La première émission de *Star Academy* en français a eu lieu en octobre 2001 sur les ondes de TF1. Elle a alors connu un succès appréciable.

L'entreprise Productions J inc. a depuis acheté le concept, pour une somme jamais divulguée, et a décidé de l'appliquer dans la zone de rayonnement de TVA, donc au Québec et en Acadie. L'appropriation de l'émission n'a exigé aucun autre changement que le titre, passant de *Star Academy* en France à *Star Académie*, susceptibilité culturelle oblige... Tout a fonctionné conformément au concept «maître», à un ajustement près en cours de route. Nous verrons lequel.

L'opération québécoise représentait un énorme risque financier. *Star Academy* pouvait compter sur dix fois plus de budget que *Star Académie*... Comment employer le même concept et viser des résultats équivalents en comptant sur dix fois moins de budget ? Peu d'entreprises de production pouvaient se lancer dans une telle aventure à Montréal. Les Productions J inc. ont osé.

La seconde décision d'envergure concernait TVA. Engager trois heures et demie d'antenne par semaine pour le même show représentait une gageure plus que périlleuse. Surtout en pleine saison. Il s'agissait d'une première au Québec et l'émission n'avait rien d'un petit show de studio «canné» avec quelques invités répondant à des questions embêtantes, comme dans *Who Wants to Be a Millionnaire?* L'opération exigeait une énorme machine mise en branle pendant plusieurs mois, depuis la tournée des 4015 entrevues de sélection jusqu'au spectacle final dans l'immense studio Mel's.

Actuellement, TVA domine d'une manière quasi arrogante le marché de la télé au Québec. Cette position élargit sa marge de manœuvre. Mais dès les premiers signes de recul, tout le monde va annoncer sa décroissance et bientôt sa décadence. Normalement, dans une position de meneur, n'importe quel joueur joue «fessier», conservateur, protège ses acquis et ne se lance donc pas dans une aventure aussi périlleuse de crainte de plonger dans le vide.

Il faut aussi noter que les émissions dites de variétés, et encore plus les spectacles musicaux, ont pratiquement disparu des ondes des chaînes généralistes. Les prestations musicales sont confinées à quelques chaînes spécialisées, comme MusiquePlus, ou réduites à des apparitions le plus souvent sporadiques dans des émissions de jeu (*La Fureur*) ou de placotage (*Le Grand Blond avec un show sournois*). Si les Michel Rivard, Daniel Boucher ou Marie-Chantal Toupin n'attirent plus les téléspectateurs, qu'en sera-t-il de purs inconnus? Telle était la question débattue à TVA avant le lancement du show (on ne connaît pas alors le succès de *American Idol*...).

La direction de TVA ne pouvait tabler sur presque aucun succès précédent pour prévoir la destinée de *Star Académie*. *Les Jeunes Talents Catelli* sont passés à l'histoire, soit; mais il y a 30 ans de ça... *Star d'un soir* mettait effectivement en scène des artistes anonymes, mais pour un soir seulement justement. *Fort Boyard* mettait en scène des inconnus et dans un contexte d'exploit: jamais avec l'intention de consacrer en héros les jeunes cascadeurs. Donc rien de vraiment comparable.

Star Académie ne représentait une valeur sûre ni pour la compagnie de production ni pour le diffuseur. Mais l'armada de Quebecor était en place, prête au combat...

La mode de la télé-réalité

L'expression fait peur. La télé-réalité est associée à la «trash-tv», à de la cochonnerie, à une commercialisation excessive des ondes par des goujats totalement dénués de la moindre conscience sociale. Elle évoque immédiatement ce que le terme «sensationnalisme» signifiait, il y a 20 ans. Quelque chose de foncièrement mauvais, mais surtout perfide, qui attire les gens comme la lumière attire les papillons de nuit qui s'y brûlent les ailes.

Nous avons pu être témoins de toutes sortes d'expériences bizarres du type *Fear Factor* où le genre «télé-réalité» chapeaute une foule de concepts allant du plus vulgaire au plus sophistiqué. Cette mode a surgi dans la foulée d'une mutation technologique majeure permettant la miniaturisation des appareils de captation des images tout en augmentant leur performance et en réduisant leurs coûts. La numérisation des caméras de télé révolutionne littéralement la télévision et le cinéma présentement. Les nouveaux appareils ressemblent aux petites caméras de surveillance qui nous guettent un peu partout. Mais, surtout, leur efficacité est considérablement multipliée. Ces caméras nécessitent très peu d'éclairage, possèdent des mécanismes d'ajustement automatique du focus et, à la limite, réagissent aux mouvements. Et tout ça à des prix permettant d'en acheter plusieurs... Dans chaque pièce d'une résidence, par exemple...

De plus, les enregistrements peuvent s'inscrire directement dans des ordinateurs, éliminant tout le travail de manipulation des bandes magnétiques.

De là la possibilité d'enregistrer «live» des gens dans toutes sortes de situations inimaginables, comme des documentaires de reconstitution historique ou ethnographique – par exemple, où l'on observe le comportement d'une famille vivant dans les conditions domestiques d'il y a un siècle (*Nineteenth Century House*) –, des mises en scène blagueuses (*Le Faux Millionnaire*), des reportages espions (*La Facture)* ou des concours de performance physique, sexuelle (*Survivor)*, etc.

D'une manière plus restrictive, le terme «télé-réalité» s'applique plutôt à un certain nombre d'émissions possédant des caractéristiques communes.

1. Elles impliquent du «vrai monde». Du «vrai monde» occupe l'avant-scène de l'émission. Des vedettes peuvent sporadiquement apparaître, se manifester. Mais la place prépondérante revient à des gens normalement sans expérience de la télévision, à des non-professionnels.

2. La dynamique de l'émission repose sur un jeu, une mise à l'épreuve des participants. L'implication peut être surtout physique, comme dans *Le Jeu de Radio-Canada*, ou plutôt psychologique ou morale comme dans *Loft Story* ou *Temptation Island*. Pour mieux contrôler le contexte de la performance ludique, les participants sont habituellement mis en quarantaine. Ils ne reçoivent alors aucune aide de l'extérieur.

3. Le jeu devient jeu de société, impliquant une confrontation, une lutte de manière à départager un vainqueur et des perdants.

Règle générale, on procède à une élimination progressive des candidats. D'un épisode à l'autre, certains survivent et d'autres périssent, jusqu'à une sélection finale. Le processus progressif d'expulsion est laissé soit aux concurrents qui s'autodétruisent, soit au public qui vote, soit à une combinaison des deux.

4. Il ne suffit pas de marquer des points dans le jeu pour gagner. Le jugement, en particulier celui du public, est crucial. Il porte autant sur la performance des participants que sur leur personnalité, sur la sympathie ou l'antipathie qu'ils inspirent.

Cette nouvelle construction d'émission, pour révolutionnaire qu'elle apparaisse, hérite de traits maintenant quasi ancestraux de la télé. Voici quelques indices rattachant la télé-réalité à son passé.

Depuis toujours, la télé pénètre dans les foyers. Elle ne fait pas événement, mais routine, répétition. Elle s'inscrit dans le rituel de la quotidienneté. On l'allume à heure fixe; on la regarde à peu près toujours dans le même contexte et dans la même ambiance domestique. On ne demande pas aux figures publiques de nous faire vivre des expériences extraordinaires, de nous transporter dans un ailleurs déroutant et de nous magnifier par leur présence, mais au contraire de nous correspondre, de nous livrer leurs secrets culinaires, de témoigner de leurs problèmes avec leurs ados ou de nous dévoiler les secrets de leur réussite. En pénétrant dans nos foyers, on leur demande d'en respecter la dimension...

Média de proximité par excellence (contrairement à d'autres beaucoup plus intimidants, le musée d'art moderne, par exemple), la télé crée facilement cette liaison entre les vedettes et les téléspectateurs et prend même plaisir à inverser les rôles. Dans le cas de *Star Académie*, les jeunes vont jouer la fonction de vedettes et les personnalités publiques celle d'admirateurs. C'est Annie félicitée par Céline Dion...

Ensuite, les jeux font partie de la grande tradition télévisuelle. Chez nous, *La Poule aux œufs d'or* a initié une véritable tradition suivie de *Tous pour un, Le Travail à la chaîne, Génies en herbe, Fais-moi un dessin, Jéopardy, Charivari* et autres. Ces jeux impliquent essentiellement des gens du public et la très grande majorité du temps des non-professionnels du domaine concerné. L'inventaire des sujets couverts est quasi illimité, depuis les imitations d'Elvis Presley jusqu'à la littérature russe. Du plus débile au plus sophistiqué, le jeu va nécessairement impliquer des récompenses, parfois faramineuses. La télé est née avec la société de consommation, et elle manque rarement l'occasion d'en manifester l'esprit...

Enfin, la télé a poursuivi l'élan de démocratisation de la culture amorcée par la radio. Média gratuit, la télé représente, après la Seconde Guerre mondiale, l'incarnation d'une information livrée équitablement à tout le monde et l'utopie d'une éducation populaire et volontaire proposée à quiconque (y compris aux analphabètes n'ayant pas accès aux journaux). La télé est ainsi devenue le grand véhicule culturel accessible à tous et totalement voué aux volontés populaires. Le fait que les téléspectateurs décident de leurs choix sur une base strictement volontaire rend leur pouvoir incontournable, ce que d'aucuns appellent la dictature de l'audimat ou de la cote d'écoute. Les systèmes électroniques de votation des émissions de télé-réalité ne font alors qu'amplifier le poids du public dans l'évolution des émissions et de la programmation.

Proximité avec les téléspectateurs, participation du public et démocratisation de la culture, *Star Académie* ne fait que reprendre quelques-uns des éléments qui ont assuré le succès de la télé depuis son lancement. L'émission rappelle *Les Soirées canadiennes*, cette tournée hebdomadaire des villages du Canada français où Monsieur le maire nous décrivait la nouvelle caserne de pompiers suivi de Madame St-Louis avec sa chanson à répondre. Elle évoque aussi *Les Tannants*, avec son concours quotidien de chanteurs couronnés par l'«applaudimètre». Mais surtout, elle hérite des centaines d'émissions portées par la popularité, par un choix et un soutien du public en leur faveur, depuis *Cré Basile*, *Le Temps d'une paix* ou *La Petite Vie*.

Un monde de plus en plus porté par la simulation des événements. Une télé qui poursuit son rôle de rassembleur, de regroupement des collectivités autour de visions communes, sinon discutables. Un nouveau genre permettant une autre exploration des possibilités de la télévision. Et finalement un concept, héritier d'une longue tradition de la télé.

La partie n'était pas gagnée, le show n'était pas acquis, mais il arrivait à un moment propice.

Chapitre deux

LE CONCOURS

Photo : Julien Faugère

Passer à la télé !

La tribune est réservée au juge, le sanctuaire au prêtre, le podium au professeur, le bureau au patron. Ces endroits délimités, localisés et consacrés à une certaine catégorie de gens en excluant tous les autres ont beaucoup servi à bâtir des sociétés. Ces limites apparaissaient comme des évidences et il fallait des révolutions pour oser les confronter. Elles établissaient et établissent toujours la différence entre le grand monde et la plèbe.

La scène pour les artistes, comédiens, chanteurs, musiciens, l'hémicycle pour les gens du cirque ou l'enceinte pour les sportifs ont reproduit des distinctions semblables en culture. Départageant ainsi le professionnel de l'amateur, la vedette du quidam, l'important du sans intérêt, le grand du petit.

Même à notre époque de grande liberté individuelle, qui oserait monter sur la scène pendant la représentation d'une pièce de théâtre ou d'un concert ? Ou descendre sur la glace pendant un match de hockey ? Qui ne s'est jamais fait rabrouer par un gardien de sécurité, dans un musée, après s'être trop approché d'une œuvre ?

Mais la radio d'abord, la télévision ensuite, ont beaucoup rompu avec la règle des territoires symboliques exclusifs. Elles ont souvent invité le public à prendre part aux émissions. De toutes sortes de manières, la plus facile et la plus régulière étant de l'installer dans les gradins et de lui permettre de manifester bruyamment son plaisir d'être là.

Les *vox populi* et les lignes ouvertes sont monnaie courante en radio et en télé. Les salles des nouvelles versent souvent dans le «*human interest*», ce traitement spécifique de l'information qui établit systématiquement un lien le plus direct possible entre le sujet abordé et les auditeurs (ce n'est pas du virus du Nil dont il s'agit, mais du risque que vous avez de vous faire piquer). Presque toutes les séries dramatiques sont dites réalistes et reproduisent des plongées dans une quotidienneté semblable à celle des téléspectateurs. Certaines émissions reposent même essentiellement sur l'implication du public, par ses témoignages et considérations (*Parler pour parler*, *Claire Lamarche*).

Les jeux télévisés ont constitué et constituent toujours la chance ultime pour un inconnu de faire le saut du côté de la scène. Pas besoin d'avoir vécu à Toronto pendant la crise du SRAS, d'avoir traversé l'Amérique à pied ou de tout connaître sur la discographie de Céline. Il suffit d'avoir acheté le bon billet de loto (*La Poule aux œufs d'or*), d'avoir le bras suffisamment solide pour faire tourner la roue chanceuse (*La Roue chanceuse*) ou de connaître le prix des sacs de poubelle (*The Price is Right*).

Or, cette facilité à monter sur scène («*Come on down*», *The Price is Right*) n'a pas érodé la magie de la télévision, l'impression d'avoir été touché par la grâce en traversant pour une fois de l'autre côté de l'écran. Cette manière d'atteindre le sommet en participant à un jeu quelconque devient l'équivalent de tomber sur la grande échelle au Parchési… Donc place aux jeux pour les plus démunis, et par conséquent, mauvaise réputation de ces émissions pour ceux qui ne sentent pas le besoin de passer par là.

On a inventé des centaines de façons de faire jouer le public. De la plus sophistiquée (*Tous pour un*) à la plus vulgaire (*Relevez le défi*). De la plus cérébrale (*Who Wants to Be a Millionnaire?*) à la plus corporelle (*L'Épicerie en folie*). Les prix remportés varient selon le type d'émission; mais symboliquement ils devraient être à la hauteur de ce passage dans le grand monde, représenter une amélioration significative de leurs conditions de vie.

Dans ce contexte, les concours d'amateurs occupent une place à part. Ils permettent non seulement de pénétrer l'univers de la télévision, mais surtout de faire partie de la famille des vedettes, pour un temps du moins. De connaître alors une double métamorphose, en image de la télé et en star de la télé. En contrepartie, les concours d'amateurs vont eux aussi entacher la réputation de la télé. Leur accorder de l'importance devient le signe d'une corruption supplémentaire de la qualité de l'art, d'un démenti de la valeur et de la dignité de la culture.

Les Jeunes Talents Catelli, *Les Soirées canadiennes* ou *Les Tannants* ont d'ailleurs été consacrés non pas pour leur apport artistique, mais comme manifestations les plus quétaines de la télé.

Star Académie joue donc risqué. Avec son emphase, sa grandiloquence, sa démesure, cette émission aurait pu détrôner les précédentes et remporter le titre du summum kitsch de toute l'histoire de la télé. Tout reposait alors sur la qualité des candidats retenus. Sans eux, sans une performance exemplaire de leur part, le bateau pouvait s'échouer et sombrer dans le ridicule. D'où le côté crucial de la sélection.

Trouver du monde ordinaire qui ne l'est pas

Selon Julie Snyder, 4015 personnes se sont présentées aux auditions. Elles se portaient volontaires pour une aventure dont elles ne connaissaient pratiquement rien, ni l'allure, ni les exigences imposées, ni les récompenses. Elles étaient prêtes à tout couper pour la durée de l'émission, à sacrifier le chum ou la blonde, les enfants, les parents, la job, tout pour la télévision…

Qui sont ces 4015 personnes? Qu'ont-elles en commun? Il s'agit probablement d'un groupe très disparate, éclaté, mais composé de gens qui croient tous, dur comme fer, à l'impact des ondes et à la réussite par la visibilité. Des gens pris par la magie de la télévision et désireux de profiter au maximum de sa force d'attraction.

Qui désigner? Qui aura les qualités, l'intelligence, la sensibilité, le tempérament et la sociabilité pour faire lever le show? Tous ceux qui défilent devant le jury sont hyper motivés, gonflés à bloc. Ils livrent tous le meilleur d'eux-mêmes. Comment discerner les plus forts de cette masse? Une «chasse à l'homme» a eu lieu, excitante mais compliquée.

Pour répondre au mythe de la découverte, le comité doit repérer les candidats porteurs de deux paradoxes fondamentaux:

Premier paradoxe: être bons et bourrés de défauts. Les candidats doivent posséder un fort potentiel professionnel pour progresser de manière significative à l'Académie. Par contre, ils doivent se montrer suffisamment maladroits et inexpérimentés pour que le public puisse se voir en eux et sentir de façon évidente le changement, la progression.

Second paradoxe: être beaux et banals. Ils doivent être attrayants, séduisants, retenir l'attention des téléspectateurs, susciter leur désir de mieux les connaître. Mais à l'inverse, ils doivent apparaître comme issus véritablement du monde, du peuple. Ils doivent se montrer conformes à la normalité la plus prévisible. Dans un contexte ordinaire, personne ne les aurait distingués; personne ne les soupçonnerait d'être les dépositaires d'un trésor.

Déjà la tournure du concours devient cocasse: ça prend des personnes d'exception, du moins dans leurs potentialités, mais qui se fondent complètement dans la masse, qui ne se différencient pas des autres. Des gens suffisamment forts pour assurer un bon spectacle et qui soient en même temps la reproduction conforme de n'importe qui, de Monsieur et Madame Tout-le-monde. Bons mais pas trop, beaux mais pas trop...

Star Académie représente donc une sorte de quintessence de la relation de proximité à la télé: faire confiance à quelques personnes issues directement du public, comme si on prenait n'importe qui. De manière à donner l'impression aux téléspectateurs qu'ils pourraient vivre, ou auraient pu vivre, cette même expérience un jour ou l'autre avec autant de succès.

La sélection finale

Des 4015, 12 vont apparaître (et deux autres seront «repêchés» par le public durant la première émission). Sept gars et sept filles.

La première émission débute avec le dévoilement des candidats retenus. Julie Snyder prend plaisir à retrouver les jeunes au cœur même de leur quotidienneté. Elle rejoint Émily à son centre d'entraînement, Martin à l'école avec ses camarades, Élyse à son atelier. Elle sort Wilfred, Stéphane et Pascal du lit. Elle retrace Maritza chez son copain. Elle surprend François dans sa vaisselle, Jean-François dans sa cuisine, Annie et Marie-Mai dans leurs chambres, Marie-Élaine à la porte.

Les commentaires des jeunes vont tous dans le même sens: «*Fame, I'm gonna live for ever*» (Marie-Mai), «C'est le plus beau jour de ma vie» (Élyse). Déjà leur vie est transformée; déjà le destin a su répondre aux désirs de ces jeunes: «On a mis quelqu'un au monde...»

Tout de suite après ces brefs reportages, les quatorze candidats apparaissent sur scène, triomphants, grandioses, déjà dans des poses de stars consacrées. Le mythe est en marche.

Cette sélection présente des concurrents apparemment très différents les uns des autres : depuis le soudeur jusqu'à l'étudiant en administration, depuis la jeune journaliste à la technicienne en infographie. Mais ils possèdent aussi des traits communs. Neuf ans seulement séparent la plus jeune, Marie-Mai (dix-huit ans), des deux plus vieux, Dave et Stéphane (vingt-sept ans). Plus de la moitié (huit sur quatorze) ont de dix-neuf à vingt-deux ans. Donc, ni de découverte sur le tard, ni de Joselito dans le groupe.

Quelques traits physiques les distinguent quelque peu : le teint de Maritza, les yeux de Pascal, la carrure de Stéphane, etc. À l'inverse, ils baignent totalement dans la même culture. Ils ont fréquenté les mêmes écoles, lu les mêmes livres et journaux, regardé la même télé et écouté les mêmes CD. On sent qu'ils ont probablement eu des notes similaires. À part Maritza peut-être, aucun n'a le profil pour passer à *Génies en herbe*...

Ils partent donc tous sur le même pied. En dépit de petits écarts individuels et de leurs origines, les candidats se ressemblent. Ils sont égaux et identiques à la ligne de départ.

Ils ont tous une occupation relativement claire. Étudiants ou travailleurs dans un domaine bien précis en dehors de la chanson. Personne n'a vraiment pris une longueur d'avance sur les autres.

Bientôt, on verra que leurs goûts musicaux sont le plus souvent très conventionnels : les classiques français, les Québécois et un peu d'américain. Aucun funk, rappeur ou métal dans le groupe. Proche d'être pépère, de ne pas faire peur à tante Simone en tout cas.

Dans le même esprit, ils sont aussi très conventionnels face à leur famille respective. Ils annoncent la bonne nouvelle à maman d'abord. Ils parlent de leurs parents, en sont fiers, etc.

La seule grande différence entre eux tient en fait à leur provenance. Ils n'expriment nullement les concentrations démographiques du Québec et de l'Acadie. Seulement trois concurrents, Élyse, Martin et Marie-Élaine, viennent de Montréal (Maritza y habite depuis le début de ses études universitaires). Assisterons-nous à une joute inter-régionale?

Voici les caractéristiques dévoilées au départ lors des courtes biographies des candidats, pendant la première émission. On tente de donner de la couleur à chacun et chacune, et quand l'occasion en est donnée, de faire jouer quelques paradoxes.

Maritza
Elle avoue d'emblée que l'un de ses plus grands plaisirs est de chanter ou d'entendre chanter quelqu'un d'autre.

Sa grande copine la dit sympathique, joviale, enthousiaste, adorant le monde autour d'elle. Par contre, cet amour des gens ne l'empêche pas d'être timide et surtout de manquer de confiance.

Émily
Son père témoigne de la présence de la musique dans la vie d'Émily: «Quand elle était petite c'était effrayant, ça chantait, ça dansait.» Son frère en rajoute: «Elle bouge tout le temps, c'est de la dynamite.» Sa mère l'associe à un rayon de soleil. Émily va vers les gens, aime être entourée de monde et s'occupe toujours de ceux qu'elle aime.

Élyse

Élyse accorde beaucoup d'importance à la musique. Quand le besoin s'en fait sentir, rien ne peut l'empêcher de danser. Elle se dit imprévisible alors que sa mère la qualifie de petit volcan: «Difficile à vivre, mais facile à aimer», ajoute-t-elle.

Marie-Mai

Marie-Mai dévoile immédiatement ses contradictions. Elle se dit folle, excentrique, mais douce. Sa mère en rajoute en la qualifiant d'extrêmement colorée, expressive.

Marie-Élaine

Un jour, elle a fait entendre une cassette impressionnante à sa mère. Celle-ci a alors su que sa fille chantait aussi bien. Selon elle, Marie-Élaine est une fille réservée et secrète.

Annie

Elle se dit fonceuse et surtout prête à apprendre et à suivre la formation qui s'en vient. Selon sa mère, sa fille va au bout de ses idées. Son père le confirme en disant qu'elle n'arrête jamais.

Suzie

Suzie se qualifie, en riant, de perfectionniste et d'orgueilleuse. Son père témoigne qu'elle a toujours eu tendance à entraîner sa sœur dans ses aventures. Les jumelles s'appuient et confirment leur attachement réciproque.

François

Il a commencé à chanter à l'école pour faire «tripper» le monde. Son père confirme ce caractère: «Sa vie, c'est d'avoir du fun, de chanter et de parler avec le monde.» Sa mère, les larmes aux yeux, ajoute: «À la fin de ses téléphones, il dit tout le temps "maman, je t'aime".»

Pascal

Sa mère résume son caractère: un jeune homme enjoué, dynamique, avec un fort esprit critique. Contrairement aux candidats précédents, sa mère signale son indépendance: «Il n'a pas besoin d'être entouré de copains tout le temps.» Elle signale, en riant, que l'équipe de *Star Académie* risque d'avoir «du trouble» avec son garçon. Lui se qualifie de bébé gâté qui doit tout à sa mère, y compris le fait d'être là.

Stéphane

«Quand je chante, c'est comme si je sortais toutes les mauvaises énergies pour en faire entrer des bonnes», telle est la place de la musique chez lui. D'emblée, sa grand-mère signale sa façon de s'imposer partout: «Il passe nulle part inaperçu.» De son côté, sa mère parle de son sens du combat: «Il va gagner».

Wilfred

«Quand je chante, je me sens de la même manière que quand je fais la pêche. Comme je me sens bien.» Il se qualifie comme quelqu'un de simple, qui aime les choses simples, comme un lever ou un coucher de soleil, la lune, la nature.

Martin

Martin reconnaît qu'il va chanter toute sa vie, peu importe ce qui lui arrive. Il va chanter jusque dans sa tombe. Son professeur témoigne qu'il travaille et étudie à temps plein, 40 heures par semaine pour chaque occupation. Selon une amie, Martin est très drôle, audacieux, coloré, attachant.

Jean-François

Jean-François est persuadé qu'il va faire de la musique toute sa vie. Son père qualifie son fils de passionné. Jean-François le confirme. Il aime aller «au fond la caisse». Mais il insiste pour dire que son rôle de père, la plus belle chose qui lui soit arrivée, l'a complètement changé.

Dave

Sa mère souligne le fait que Dave est un gars doux, attentionné, émerveillé par les belles choses de la vie. Dave insiste sur la place de sa fille dans sa vie, qui lui a redonné le goût de vivre après la mort de son père et «rallumé toutes [ses] passions», dont la chanson.

Un concert de variations, mais des traits pratiquement interchangeables les uns les autres. Ils sont tous amoureux de la musique, passionnés de la vie, déterminés à réussir et profondément généreux. On voit ressortir immédiatement les clichés d'un artiste-interprète: amoureux de la chose, émotif, batailleur et tourné vers les autres.

Par contre, chaque concurrent est profondément inscrit dans une quotidienneté bien spécifique. Jean-François et Dave avec leurs familles; Wilfred baignant dans la nature de la côte acadienne; Martin, avec ses deux occupations, technicien et étudiant, emporté par la frénésie de la métropole; Annie avec ses élèves; Émily avec ses clients, etc. Aucun ne semble malheureux dans son monde ni poussé irrésistiblement à changer de vie. Bien au contraire.

Cet aspect est important puisqu'il va jouer dans la mise en scène du mythe de la découverte. Car certains candidats ne voudront pas que leur statut de chanteur perturbe cette vie choyée. Ils auront alors à trancher entre deux réalités heureuses possibles. Ou encore le public décidera à leur place…

Nous assisterons donc à une joute classique entre les concurrents, basée essentiellement sur la performance de chacun. C'est ce qui rapproche *Star Académie* de *Canadian Idol.* Mais *Star Académie* va plus loin. Un concours de personnalité va devenir le véritable enjeu de cette série. Non seulement la personnalité la plus agréable, la plus charmante comme lors de l'élection d'une «Miss», mais quelqu'un qui est capable de faire face à des irréconciliables, de sacrifier ses besoins au profit d'autres, de vivre avec des paradoxes. Comment concilier les responsabilités familiales et l'école? Comment aller au bout de son exubérance sans choquer les téléspectateurs sensibles?

Bref, cette victoire ne sera pas simple. Ce jeu est rempli de pièges invisibles.

Le vrai déroulement du jeu

L'enjeu du concours est apparemment fort simple. Il s'agit de déterminer qui des quatorze académiciens va se montrer le meilleur, supérieur à ses camarades, remporter le prix de fin d'année comme à la petite école.

À la façon du jeu de la chaise musicale, chaque semaine, un élève parmi deux ou trois sera évacué du groupe et devra retourner chez lui. Un seul persistera jusqu'à la fin et sera déclaré vainqueur du tournoi.

De cette manière, *Star Académie* demeure un jeu de société tout à fait classique, comme le Monopoly ou un tournoi de tennis. Le contexte est plus élaboré, soit, mais le principe, l'écrémage progressif, reste le même. D'un match à l'autre, les moins performants «meurent».

Cette hybridation entre la performance artistique et le sport n'est pas nouvelle. Les concours de piano à la Place des Arts, les festivals de chansonniers, dont celui de Granby, la Ligue nationale d'improvisation reprennent le mode compétitif dans le cadre d'une exécution artistique. À cet égard, l'initiative de *Star Académie* n'a rien de nouveau.

Par contre, cette manière de se côtoyer à chaque instant de la journée, de dormir, de manger ensemble, de discuter, de vivre les mêmes expériences, de tout partager, exige au moins une certaine amabilité de la part de chacun, une entente, sinon un véritable esprit communautaire chez les adversaires. C'est comme si on obligeait les joueurs de deux équipes de hockey à partager leurs chambres d'hôtel pendant les finales...

Photo: Julien Faugère

Un nouveau paradoxe va donc surgir au château Péladeau: démontrer sans cesse des sentiments d'amitié les uns à l'égard des autres, tout en sachant très bien que chacun fait tout pour demeurer seul en piste... Les bons sentiments et l'esprit de combativité doivent faire bon ménage.

Normal alors qu'on ait abondamment insisté sur l'amabilité des candidats, leur générosité, leur propension à aider les autres tout autant que sur leur détermination, leur côté fonceur, leur très forte volonté de devenir les meilleurs.

Le public va devenir ainsi témoin d'un mélange de désintéressement et de convoitise, de gentillesse et de stratégies pour dépasser son adversaire. Les candidats seront incités à performer sur la scène et à encourager celui qui va les amener à leur perte. Ils devront composer avec une abnégation toute catholique et une agressivité toute libérale... Et sans que l'hypocrisie ressorte trop...

Le paradoxe agressivité/bonté en cache un autre. Il faut être agressif pour faire valoir sa compétence de chanteur et, partant, sa supériorité. Il faut être bon pour devenir populaire. Si l'opération consiste à devenir chanteur ou chanteuse populaire, chaque candidat doit tenir compte des deux termes, chanteur et populaire, artiste et vedette...

Le véritable artiste méconnu a toujours côtoyé l'artiste minable archiconnu. Les deux vocations, même si elles se confondent dans l'exercice du métier, demandent une présence publique et une performance bien différentes. Le chanteur s'exécute. Il travaille sa technique corporelle, il développe sa sensibilité et peu à peu il devient unique, créatif. Il manque peut-être d'entregent, de facilité sur la scène; mais il brille par son art.

L'artiste populaire ne dissimule pas ses manœuvres de séduction. Il veut d'abord plaire au public, donc au départ ne pas lui déplaire, le brusquer, le dérouter ou le perturber avec des chansons inhabituelles et des poses scabreuses. Au contraire, il va sortir son attirail de larges sourires, de déclarations d'amour et de chansons faciles.

Chez le chanteur populaire, l'art de la communication s'ajoute à l'art de l'interprétation. Normal encore ici qu'on ait tant insisté sur la timidité de Marie-Élaine ou de Maritza lors des présentations, mais aussi sur le côté trouble-fête d'Élyse et Pascal ou exhibitionniste de Stéphane. L'émission ne s'appelle pas *Star Académie* pour rien... La star est d'abord une idole avant d'être une artiste...

Et à cet égard, le défi de ce jeu va consister tout autant à remporter les honneurs finals qu'à sortir le plus vite possible de l'anonymat. Par exemple, Émily, avec sa maladresse volontariste de la première soirée, sa minijupe et sa jambe vigoureuse, avait immédiatement gagné des points...

Qui va le mieux naviguer à travers ces paradoxes ? Qui va réussir à concilier la bonté et la volonté, la séduction et l'exécution ?

Le public va tout surveiller, tout évaluer. Il tiendra compte de bien des facteurs :

- D'abord, il faudra repérer le talent parmi les maladresses.
- Ensuite, il tentera de discerner le caractère particulier, attirant, unique de gens qu'on retrouve dans des contextes de vie tout à fait conventionnels.
- Il devra aussi prendre en considération la balance délicate entre le désir de vaincre et la solidarité communautaire.
- Et, finalement, il lui faudra tenir compte à la fois de l'intensité artistique des candidats et de leur capacité à séduire.

Qui, parmi eux, va avoir l'humilité de reconnaître ses maladresses, tout en mettant en valeur le talent des autres ?

Qui, parmi eux, va partir à la conquête du public sans jamais se gonfler la tête ?

Qui, parmi eux, risque de compromettre l'harmonie du groupe pour arriver le premier ?

Qui, parmi eux, va trouver le moyen de plaire sans trahir son art ?

Avant même que la joute démarre, le public pouvait commencer à s'interroger, à émettre des hypothèses et des prévisions.

Il commençait à travailler. Mais tout ça n'était rien comparé au boulot qui l'attendait…

Chapitre trois

DEVENIR UN CHANTEUR POPULAIRE

Photo : Julien Faugère

« On a mis quelqu'un au monde, on devrait peut-être l'écouter. »
Le chœur des 350 invités.
Première émission, premières secondes. 16 février 2003.

Le mythe du chanteur

Les chanteurs et musiciens populaires existent depuis pratiquement cent ans. Ils constituent le bassin des plus grandes vedettes de l'histoire moderne et font ombrage aux politiciens, prêtres et militaires. Avec les vedettes du cinéma, du sport et de la mode, ils sont devenus les grands pôles d'attraction de foules. Les plus importants (Elvis, les Beatles, etc.) ont provoqué des rassemblements monstres et parfois des hystéries collectives à l'échelle de la planète.

Ces vedettes ont pris toutes sortes d'allures: le «crooner» cool (Sinatra), le provocateur suicidaire (Hendrix), la pauvresse de génie (Piaf), le dandy mystérieux (Bowie), le bellâtre doucereux (Trenet), le drogué fatigué (Ozzy Osbourne), le travesti (Boy George), etc. Ils peuvent être beaux ou laids, petits ou grands, filiformes ou obèses, aveugles ou infirmes, peu importe, on les prend comme ils sont, pourvu qu'ils aient du génie. On va aussi leur pardonner bien des excès: drogue, cupidité, filouterie, suicide. Seuls les gestes graves de violence les extirpent du cœur de leurs fans (Bertrand Cantat).

Ils ont tous franchi le seuil d'une reconnaissance publique par ce quelque chose d'indéfinissable qui ne s'apprend pas dans les écoles, qui ne se forge pas en série dans les industries du marketing: une grâce, une magie, une illumination qui autrefois aurait été d'origine divine. Ils sont devenus les nouveaux porteurs de messages, les nouveaux intermédiaires entre les terriens et le monde des esprits, l'imaginaire, l'utopie. Ils sont les nouveaux saints. Ils ont les mots, la musique, la sensibilité, l'émotion qu'il faut pour laisser entrevoir un autre monde, un ailleurs. Ils reçoivent leurs paroles et leur musique par une sorte de souffle sacré, qu'ils appellent «inspiration». Ils ont la mission de «créer» des choses. Ils ont donc droit à une sorte de vénération.

En livrant le fruit de leurs créations, les chansonniers jouent un rôle de messager, d'intermédiaire entre le public et un ailleurs mystérieux, utopique où seuls comptent l'amour, l'affection, les sentiments et les émotions. Ce monde est exempt de cartes de crédit débordées, de surcharges pondérales et des dents du petit dernier.

La mission de ces messagers consiste aussi à rejoindre le plus grand nombre de personnes possible, d'éveiller la sensibilité de centaines, de milliers, voire de millions d'individus eu égard des origines, conditions sociales et cultures de chacun. D'où cette idée de devenir les plus grands rassembleurs de la planète, sur une base volontaire et non militaire. (La maison d'Elvis Presley à Memphis est la seconde demeure la plus visitée des États-Unis, juste après la Maison-Blanche...)

Cette double vocation de messager entre un au-delà et l'humanité confère aux interprètes un statut privilégié, leur donne accès à la célébrité, l'argent, les châteaux, les voyages, les Ritz-Carlton et autres avantages périphériques. À se tenir proche des dieux, normal de mener une vie qui ressemble à la leur.

Or, théoriquement, n'importe qui peut atteindre ce statut. Il n'est pas l'apanage des princes, des clans siciliens ou des «fils à papa», bien au contraire. Des tonnes de vedettes sont arrivées de nulle part, Elvis le premier... Le métier n'exige pas un entraînement physique extrêmement poussé, comme c'est le cas pour les athlètes olympiques. Il ne requiert pas non plus un long apprentissage astreignant et rempli de sacrifices dans un secteur précis et pointu du savoir, comme en médecine, en droit ou en sciences. Le chant et la musique doivent faire partie de leurs compétences, mais bien des artistes se sont imposés beaucoup plus par leur charme et leur présence que par leurs prouesses vocales ou instrumentales.

Comment devient-on chanteur, alors? En répondant à un appel, une invitation intime et mystérieuse, comme jadis les prêtres répondaient à l'appel de Dieu et se mettaient à son service. C'est le début de la grâce... Plus tard, celui qui aura réussi expliquera son parcours de vie à la façon d'une vocation, plutôt qu'un métier ou une profession.

Tel est le mythe fondamental de l'artiste, du poète, et plus particulièrement du chanteur. On le voit comme quelqu'un qui ressent en lui quelque chose de particulier, une disposition, un don, sans trop savoir l'identifier ni surtout comment le manifester.

Après l'appel, la révélation. On devient pompier en faisant nos classes, un avocat ou un marchand de tapis tout autant. Mais pour devenir chanteur populaire, il faut «être découvert». Un néophyte aura beau suivre une multitude de cours de chants, consacrer des années à sa formation musicale, obtenir plusieurs diplômes marqués du sceau des meilleures universités du monde, il faut avant tout être repéré, remarqué, désigné, sélectionné, d'abord par des spécialistes de la détection du génie et ensuite par le public en général.

Cette détection n'est pas aussi simple qu'elle peut le sembler à première vue. Quelqu'un d'adroit peut simuler le talent, donner l'impression d'avoir tous les attributs nécessaires pour grimper au pinacle de la renommée. Mais il va lui manquer ce petit quelque chose, cette essence mystérieuse qui n'appartient qu'aux vrais. La sainteté n'est pas courante...

Ils sont d'ailleurs légion ceux qui croient avoir en eux le talent, le génie et qui ne franchiront jamais la rampe, parce qu'aucun spécialiste ne décèlera chez eux cette flamme. Ce spécialiste est, d'ailleurs, lui aussi marqué par le destin. Il possède un flair spécifique. Il sait «lire» quelqu'un à travers ses maladresses, ses incertitudes, son manque d'expérience, à la façon d'un sourcier qui repère des puits sans savoir comment il procède. Il sait déceler un potentiel, une force latente et un élément non négligeable, une richesse économique enfouie. Il repère le génie d'instinct, dirait-on, comme un sorcier flaire un sortilège dans les entrailles d'un poulet ou comme un sculpteur décèle une œuvre dans un tronc brut.

Le découvreur doit avoir en tête trois considérations : le talent en soi, le potentiel artistique de son poulain et l'accueil que le public va lui réserver. Il ne suffit pas d'être « inspiré » dans ses poèmes, de « créer » de la musique ou de chanter comme un ange. Encore faut-il attirer le public, l'intéresser, le captiver, l'émouvoir, le séduire parmi les centaines de « saints » qui proposent leurs services d'intermédiaires et de rassembleurs…

Or les goûts et engouements du public vont toujours demeurer très versatiles, capricieux. Lui aussi fait ses propres prospections, mise sur des talents encore instables ou incertains. Et le découvreur aura beau mettre au jour un talent extraordinaire, ce sera peine perdue si les gens ne suivent pas, n'arrivent pas aux mêmes constats. Quels que soient les efforts et les investissements – une campagne marketing tonitruante, des seins vingt mille fois grossis sur une immense affiche à la sortie du pont Jacques-Cartier, quelques scandales scatologiques dans un talk-show, un lancement où on réussit à saouler au champagne tous les chroniqueurs musicaux en ville –, rien ne suffit jamais, rien n'assure le succès. Le public aime lui aussi jouer au découvreur de talent, exprimer sa surprise et son enthousiasme, mais aussi ses caprices, déceptions et rejets cinglants.

De nos jours, l'élu des dieux doit se plier aux exigences de la démocratie populaire...

Un nouveau venu ou une nouvelle venue lance son premier disque. La campagne de presse bat son plein. La radio et la télé s'y mettent. Le nom circule, les premiers commentaires publics sortent. Mais rien n'est encore vraiment joué. Les gens vont-ils tendre l'oreille à la radio et le bras chez le disquaire? Et même si une première étape est franchie, il faut que le second disque obtienne un meilleur résultat que le premier et ainsi de suite jusqu'à devenir définitivement «adopté» par le public.

La star ne peut pas se contenter d'avoir atteint une fois la tête du palmarès avec une toune, un disque. Elle doit avant tout laisser sa marque, s'installer en permanence au sommet. Les grands, les vrais, les plus appréciés vont passer à l'histoire, sans redescendre... Une sainteté devenue éternelle... «*Fame for ever*», comme le dit la chanson...

Tel est le fantasme du vedettariat musical autour de nous, depuis la naissance d'une star jusqu'à sa consécration définitive au panthéon des grands de ce monde. Cette idée d'un trésor enfoui reste une image, une manière d'exprimer le talent. Mais si tout le monde partage cette façon de voir, ça devient réalité. Telle est la manière d'exister d'un mythe.

Nous sommes très proches de la religion et même dans la religion...

Le concept de l'émission

Star Académie va reprendre ce mythe du messager et l'actualiser. Nous allons partir à la découverte des trésors enfouis chez les quatorze candidats. Cette émission repose essentiellement sur la fable contemporaine d'un élu du destin, bénéficiant d'un don, d'un talent caché, dont quelqu'un va repérer les aptitudes, l'amener à se découvrir et le proposer au public comme nouveau messager. Le public reconnaît ensuite ce nouveau messager ou non.

La dynamique de l'émission consiste à simuler devant les gens, en direct, le processus de la découverte d'un talent, de son éclosion, de sa reconnaissance et de son adoption par l'ensemble de la tribu... Nous allons voir à l'œuvre cette opération de la naissance d'un génie mais aussi des talents plus limités. Et, finalement, nous allons assister au verdict final de la communauté qui va reconnaître et désigner son meilleur intermédiaire, celui qui va le mieux exprimer ses utopies et souder le groupe autour des mêmes valeurs.

Voilà pour la structure générale du message de l'émission. Mais pour des fins de télé, il fallait l'aménager, lui donner une vraisemblance, l'installer dans une forme concrète et admissible dans le contexte habituel de la télé.

Passons en revue les principaux éléments de cette mécanique.

À fin de l'été 2002, Productions J inc. et TVA ont annoncé publiquement la mise en préparation de cette émission prévue pour février 2003. Tous ceux qui croyaient avoir en eux une quelconque flamme artistique pouvaient déjà convertir cette information en appel, en sollicitation de candidature. Par la suite, une équipe de sélection a parcouru le Québec et l'Acadie pour entendre tous ceux qui se présentaient.

Certains ont été écartés immédiatement.

Puisque l'opération consistait à repérer le génie chez des gens dont tout le monde ignore le potentiel, le comité ne pouvait retenir la candidature de gens de métier ou de jeunes ayant déjà été reconnus. Le comité devait sélectionner de purs inconnus seulement, ceux qui n'avaient pas encore eu la chance de se faire connaître. Seul Wilfred avait participé à un festival d'envergure, celui de Caraquet au Nouveau-Brunswick.

Dans le même esprit, le comité a restreint considérablement le groupe d'âge, prenant en considération uniquement des jeunes adultes. On voulait ce talent pur, n'ayant pas encore été sondé, ni surtout altéré par quelques mauvais professeurs, directeur de chant ou, pire que tout, par un agent...

De toute manière, on aurait mal vu un vieux de 70 ans dans le décor. *Star Académie* s'est donné pour mission de lancer des carrières, pas de les consacrer...

Au terme de cette démarche, l'équipe des Productions J inc. a retenu quatorze candidats, répartis également entre femmes et hommes.

Ces candidats ont été invités à vivre ensemble durant au moins neuf semaines. Ils devaient accepter d'être coupés du monde et de se conformer au rythme de leur maison « d'accueil ». Un domicile les attendait pour leur servir à la fois de lieu d'habitation et de travail.

Les jeunes académiciens devaient vivre en communauté, suivre des cours leur permettant de faire éclore et d'affiner leur talent et préparer un spectacle hebdomadaire diffusé le dimanche soir. Sorte de vaste forum romain où les spectateurs avaient droit « de vie ou de mort » sur quelques-uns d'entre eux.

Pendant la première partie de la série, les professeurs mettent trois académiciens en péril, chaque semaine. Les chamans de *Star Académie* doutent subitement de la valeur de trois d'entre eux; ils les amènent donc sur la place publique lors d'une émission en direct les dimanches soir. Ils obligent les cas problèmes à s'exécuter devant tout le monde et sollicitent la contribution du public pour entériner ou contredire leurs incertitudes. En votant, le public va protéger un élève, les professeurs vont en protéger un autre et le troisième va mourir... Telle est la cruelle procédure du jeu de la découverte...

Durant la seconde partie de la série, seul le public se prononce en faveur d'un candidat.

Contrairement à un simple concours où seules comptent les performances sur scène, qui seront évaluées par un jury de spécialistes ou un vote populaire, ici tout est pris en considération pour juger de la valeur des candidats: leur façon de vivre au jour le jour, leur sociabilité, leur disponibilité aux études, leur détermination au travail, mais aussi leurs goûts, leurs origines sociales, leur entourage habituel et finalement l'ensemble de leur personnalité.

Pour rendre compte de cette large appréciation, les académiciens sont soumis à une observation incessante. Chaque instant de leur vie est ainsi capté par des caméras installées partout dans leur domicile ou manipulées par des spécialistes discrets tout autour d'eux. Il n'existe apparemment aucune censure à cette surveillance.

Du lundi au jeudi à 19 h 30, une émission de 30 minutes relate les faits et gestes des candidats. Le public peut ainsi suivre les péripéties quotidiennes de chaque jeune. Rapidement, il connaît les participants dans le détail de leur vie, à la façon d'un véritable feuilleton télévisé. Il les voit réagir devant les bonnes nouvelles comme les mauvaises. Il vérifie leur résistance à l'effort, au stress, à l'ennui. Il voit surgir les ressources cachées et les démissions, les élans spontanés de générosité et de cordialité ou l'inverse. Il connaît les conjoints, les parents, les compagnons de travail de chaque candidat, etc. Bref, la vie des jeunes n'aura apparemment plus aucun secret pour le téléspectateur attentif.

Tout en vivant dans un cadre privilégié, l'occupation du temps des académiciens est encadrée, planifiée, ordonnée. Pas de repas à prévoir, ni courses, lavage, ménage, comptes à payer, tout est pris en charge par un contingent de serviteurs discrets. Le groupe dispose d'une piscine intérieure, d'un sauna, d'un centre d'exercices. Leur garde-robe est renouvelée chaque semaine. Les élèves reçoivent le coiffeur, le maquilleur, le masseur à domicile. Plein de chanteurs et chanteuses, dont leurs propres idoles, leur rendent visite à l'improviste. Ils font de magnifiques sorties en ville, assistent à des spectacles, à des matchs sportifs, font du magasinage chic. Bref, ils mènent la grande vie, appartiennent au monde des stars. Gâtés soit, mais temporairement, le temps qu'ils fassent leurs preuves.

Ils sont soumis à la règle de la surveillance constante. Mais à cause de cet espionnage, subitement, rien dans leur vie ne passe pour inutile. Tout peut servir. Chaque mot, chaque geste pourrait jouer en leur faveur ou leur nuire. Cette vigile leur donne une importance extraordinaire, leur confère une célébrité automatique à laquelle ils doivent s'adapter. Peu importe alors le fait qu'ils se retrouvent toujours entre eux, qu'ils mangent ensemble, dorment ensemble, se lavent ensemble, voyagent ensemble, perdent leur temps ensemble, puisque tout chez eux devient significatif, digne d'intérêt.

Paradoxalement, cette mise en représentation d'eux-mêmes les inscrit directement dans l'actualité au même titre que la guerre ou les élections. Mais à la condition de ne plus suivre cette actualité... Leur vie de château les met en quarantaine. Ils sont coupés de leurs familles, de leurs proches, mais aussi de ce qui se passe dans le monde. Ils n'ont plus droit à aucun journal, aucune radio, aucune télé. Leur immersion dans le monde des médias les isole complètement de la vie réelle et de son évolution. Ils sont montés au ciel...

Ils n'auront droit qu'à un coup de fil quotidien chronométré à un membre de leur famille, enregistré bien sûr, dans lequel il ne peut être question d'autres que d'eux, de leurs amours, de la famille et du temps qui passe.

En mettant le pied dans le mythe, les jeunes voient l'ordre des choses complètement renversé. Leur quotidienneté, leur routine, leur vie auparavant insignifiante va prendre des proportions bizarres, gigantesques. Elle va devenir un fait de société majeur, suivi, ausculté, discuté, jugé par des millions d'individus. À l'inverse, la guerre, la politique, les malheurs des autres, tout ça disparaît subitement, ne compte plus, n'a plus d'importance... Ces jeunes existent bel et bien; ils ne sont pas des personnages de téléroman, la création d'un auteur. Désormais leurs mots, leurs mimiques, leurs humeurs, bref leur «jeu» s'inscrit dans un vaste scénario évolutif, organisé, dirigé, contrôlé et coupé du monde, exactement comme une fiction, un *soap*. Place au spectacle, celui de la performance artistique, de la compétition, mais aussi celui des sentiments, des peurs, des joies, des ressentiments et des amours.

Dans ce panthéon artificiel, au cours de cette vie prodigieuse, les jeunes vont quand même vouloir protéger leur intégrité. Mais le personnel autour d'eux aura précisément le mandat de les changer, les transformer, en faire de véritables messagers. Et le génie va émerger chez ceux qui assumeront le mieux cette métamorphose. Tel est le contrat tacite, mais concret, entre les producteurs et les «acteurs» de *Star Académie.*

Tout ça va se réaliser à un moment très particulier de l'histoire de la télé québécoise. Examinons cet aspect pour bien voir quelle est l'importance stratégique de *Star Académie* au printemps 2003.

Un tournant

Le public québécois est en symbiose très étroite avec «sa» télévision. L'histoire tout entière de la télévision au Québec est une démonstration étonnante de l'attachement d'une population qui, plus que n'importe quelle collectivité, eut accès hâtivement à la télévision la plus riche et diversifiée au monde, la télé américaine. Cette fidélité tient pour beaucoup aux exigences que les téléspectateurs ont posé à «leur» télévision et que des milliers d'intervenants culturels ont tenté de satisfaire.

Fidèle et exigeant, le public québécois est à la fois enthousiaste et capricieux. Il peut provoquer d'énormes surprises d'écoute ou bouder et rejeter des émissions qui lui semblaient parfaitement destinées, en particulier les productions d'ici. Car depuis les débuts, il a nettement préféré des émissions produites par des artistes locaux aux importations. Plus une chaîne présente d'émissions préparées par des professionnels d'ici, plus elle a de chances d'attirer des téléspectateurs.

Or, actuellement, le dispositif télévisuel ne cesse de s'élargir en raison de la numérisation des systèmes. En quelques années, une panoplie de nouvelles chaînes, locales ou étrangères, ont elles aussi sollicité les spectateurs.

Comment allons-nous réconcilier d'ici peu la nécessité de nous retrouver nombreux à l'écoute d'une chaîne pour absorber les coûts d'une production locale d'envergure et la possibilité toujours tentante de nous distribuer autour des chaînes thématiques ? Telle est la complication actuelle et future de la télé et qui nous concerne tous, dans nos choix les plus intimes.

Les chaînes généralistes font face à deux stratégies possibles. La première consiste à accepter la fatalité d'une érosion de leur position au fil des ans et à lancer ou acheter des chaînes spécialisées et à y déporter discrètement leurs capitaux ainsi que leurs équipes. La seconde stratégie vise à maintenir la position de leader de la chaîne en proposant des émissions très largement rassembleuses.

À cet égard, *Star Académie* va sûrement passer à l'histoire. L'émission a tout de suite démontré l'intérêt des gens pour des émissions regroupant de vastes audiences. Elle a bloqué une tendance ou du moins retardé son échéance.

Dès ce dimanche du 16 février 2003, la fièvre, la frénésie qui s'est emparée de la sallea semblé traduire les sentiments des centaines de milliers de téléspectateurs installés chez eux. Tout de suite, l'émission est devenue rassembleuse, comme la télé ne l'avait pas été depuis *La Petite Vie.*

Elle s'est immédiatement imposée comme l'émission de la saison. Les premiers relevés d'audience ont confirmé quelques jours plus tard son impulsion de démarrage. Plus de 1,7 million de téléspectateurs poussés par la curiosité sont restés devant leur écran durant toute l'émission.

Premièrement, ce concept pourtant issu d'une tradition télévisuelle européenne a tout de suite plu. Deuxièmement, ce spectacle de variétés s'est imposé en dépit d'une lassitude marquée chez les téléspectateurs pour ce type de présentation. Troisièmement, l'électricité caractéristique (appelons ça ainsi...) des spectacles de Julie Snyder n'a ni rebuté ni éloigné un nombre significatif de téléspectateurs. Bref, l'amorce a fonctionné à plein. Non seulement les gens sont restés, mais ils ont surtout répondu massivement au rendez-vous quotidien dès le lendemain.

En fait, dès les premiers moments, le concept étranger a adopté des couleurs locales, une résonance collective indigène. Personne ne détonnait parmi les jeunes élus, mais aussi, et peut-être surtout, parmi leur entourage. La conjointe, la mère, le père, les collègues de travail de la mère, la grand-mère, tous ces gens reflétaient subitement le Québec dans ce qu'il a de plus normal, prévisible. Les accents, les remarques, les mimiques, tout. Première impression donc : une très forte homogénéité.

Un groupe, soit, mais riche de ses contrastes. De l'aïeule au bébé, du campagnard au banlieusard, du travailleur manuel à l'intellectuel, de l'Acadien de souche à l'immigrant asiatique, cette disparité donnait l'impression d'un microcosme extrêmement représentatif du Québec réel, désormais bâti sur cette disparité. En fait, on aurait pu y constater de très nombreuses omissions, en particulier du côté des anglophones et des populations à l'ouest de Montréal. Mais peu importe, l'impression était là.

Chaque téléspectateur pouvait tirer un fil entre lui et l'un ou l'autre des participants. Que ce soit par la région, par l'âge, par le style ou le mode de vie, tout le monde avait une tante Germaine qui ressemblait à celle de Dave, un copain qui avait l'allure des camarades de Martin, une petite fille comme Jean-François, et ainsi de suite. Quoi de mieux que de se sentir invité et accueilli chez des gens qu'on connaît? Grâce à ces liens, chacun pouvait opter pour une préférence, miser sur un choix, l'examiner de plus près et envisager l'idée d'en devenir un supporter... Le jeu cimentait le groupe de millions de petites observations, réflexions intimes et décisions partisanes secrètes...

L'idée de la communauté riche en variations s'est tout de suite imposée. Pas cette communauté homogène, faite de gens issus de familles rurales, ayant appris les mêmes choses dans les mêmes polyvalentes, aspirant à passer l'hiver en Floride et rencontrant tous les mêmes difficultés dans l'éducation de leurs enfants. Au contraire, *Star Académie* a donné lieu à une communauté éclatée, disparate, surprenante («C'est où ça Normétal?»), heureuse de se présenter à la télé et de témoigner de nombreuses manières de vivre, d'être Québécois.

Durant la même période, aucune émission d'information, de discussion ou de débat reliée aux élections n'a su apporter une vision aussi prégnante de la communauté québécoise... Le Québec était là, rassemblé autour de ces jeunes. Personne ne pouvait se sentir ignoré dans ce microcosme. En marge de la campagne électorale, *Star Académie* allait donner plus que jamais l'impression d'un vrai Québec, d'une vraie société nationale, d'une vraie culture spécifique francophone en Amérique du Nord. Pas mal pour un concept européen...

TVA, en tant que chaîne généraliste, a ce soir-là marqué des points, retardé sa décroissance et fait la preuve que la télé continue de modeler le Québec contemporain, plus que la politique, quoiqu'en disent les historiens...

Mais cet élan collectif vers Sainte-Adèle exigeait que la majorité des spectateurs croient en cette possibilité d'un génie installé secrètement chez quelques-uns de ses membres et qu'idéalement ce génie corresponde à la facette de la société dans laquelle chacun avait l'impression de se retrouver le plus. On acceptait l'idée du messager et le fait que ce messager représentait la diversité québécoise.

Bref, les estrades étaient pleines. Le jeu pouvait commencer. Mais, dès le début, des voix se sont élevées pour contrecarrer l'ardeur générale.

La critique frappe

L'émission n'a pas fait l'unanimité. Tout le monde n'a pas cru spontanément à cette opération de la découverte. Plusieurs flairaient la supercherie, le détournement du rôle de l'artiste et sa dévalorisation au profit d'un vaste concours de popularité, au profit d'ambitions commerciales destructrices de la démarche artistique.

Plusieurs motifs ont alors été invoqués. Voici les principaux arguments contre l'émission.

1. Sous le couvert apparemment louable de donner une chance à quelques jeunes, on introduit chez nous une mode purulente, celle du *reality show*. Et une fois la preuve acquise de l'engouement du public pour ce genre d'émission, le Québec va succomber à cette télé synonyme de voyeurisme, de sensationnalisme, bourrée de scènes de cul et d'intérêts commerciaux. *Star Académie* serait le Cheval de Troie de la télévision cheap, la «trash-tv» à laquelle la télé québécoise a, bon an mal an, échappé.

2. Dès les premières émissions, certains artistes professionnels et critiques culturels ont subitement pris conscience de la place considérable qu'occupait *Star Académie* dans la grille horaire de TVA. Ils ont vite manifesté leur crainte qu'une telle initiative écarte désormais les émissions de variétés consacrées aux «vrais artistes». Une sorte de nouveau «*cheap labor*» prendrait leur place et le public oublierait combien il faut d'années de labeur pour affiner un tel art et offrir des œuvres de qualité. Selon eux, *Star Académie* édulcorait considérablement le rôle profond, souvent sacrificiel, du chanteur, de l'artiste, en ne présentant qu'une façade superficielle et creuse.

3. Des chroniqueurs, artistes et commentateurs se sont inquiétés du sort des jeunes après leur passage à l'émission. À la suite d'une expérience aussi euphorisante, les candidats, en particulier les candidats perdants, ne risquaient-ils pas de connaître une détresse psychologique désastreuse, comme ce fut le cas en Suisse, semble-t-il? N'étaient-ils pas trop jeunes pour subir un contrecoup quasi insurmontable? D'autres journalistes ont fouillé les ententes contractuelles établies entre les Productions J inc. et les jeunes candidats, laissant entendre que ces derniers deviendraient vite les instruments et les marionnettes de producteurs cupides.

4. La charge la plus solide ne portait pas tant sur le contenu de l'émission que sur son soutien marketing. Quelque temps auparavant, Julie Snyder avait publiquement confirmé sa liaison avec Pierre Karl Péladeau, le propriétaire de Quebecor. Dès lors, il devenait évident que la machine de Quebecor se mettrait au service de la productrice. Les craintes

soulevées lors de l'achat de TVA par cette entreprise allaient se confirmer. *Star Académie* donnerait lieu au premier grand déploiement de ce que les dirigeants de l'entreprise nomment pompeusement la «synergie».

Les événements vont effectivement donner raison aux détracteurs de *Star Académie*. Tout l'empire Quebecor a soutenu l'émission. Le *Journal de Montréal* avait ses deux pages quotidiennes et sa rubrique Internet. La chaîne radiophonique Radio-Énergie, qui avait une entente commerciale avec Quebecor, livrait systématiquement des nouvelles sur la vie trépidante du château de Sainte-Adèle. Les télé-horaires faisaient leur une avec l'émission. Les journaux à potins dévoilaient les dessous croustillants et sentimentaux de la vie des concurrents. Le câblodistributeur Videotron en a profité pour proposer des spéciaux d'abonnement rattachés au webcam de la maison. TVA n'a pas lésiné sur les «plogues» des académiciens dans les autres émissions, les magasins Archambault ont pris en charge la promotion du disque. Tous les départements de Quebecor se sont mis au service de l'émission et pas d'une manière sporadique. La charge…

Ces critiques sont intéressantes. En particulier, les trois premières. Elles confirment que, même chez les détracteurs de *Star Académie*, la croyance au chanteur, à l'artiste messager existe. On rejette simplement la manière de faire émerger le génie. Ce simulacre de la découverte leur apparaît comme une trahison de la démarche consacrée pour devenir un artiste, faite d'embûches plus douloureuses et surtout plus persistantes que ces quelques semaines.

Les craintes des journalistes confirment un autre mythe, celui du pauvre artiste fragile et démuni facilement piégé et enferré par des producteurs sans scrupule. Comme si l'artiste-né se montrait irrémédiablement naïf, innocent, hors du monde, de ses aléas et de ses traquenards.

Quant aux accusations d'une collusion de l'empire Quebecor pour assurer le succès de l'émission, pour véritable qu'elles étaient, elles n'ont pas atteint le cœur de l'émission. Elles ont sûrement éloigné des gens, et probablement la tranche de la population qui aurait été de toute façon réfractaire à ce genre d'émission.

Cependant, certaines émissions battent des records d'écoute dans l'euphorie générale et ne subissent pas d'attaques ou très peu, comme *Les Filles de Caleb* et *La Petite Vie*. La majorité des gens apprécient, les autres restent silencieusement indifférents. D'autres émissions, tout en étant très populaires, soulèvent des controverses. Elles divisent la population. Ce fut le cas de *Cré Basile*, de *Les Tannants* et, d'une certaine manière, de *Star Académie*. Et à chaque fois, ces controverses dévoilent des sensibilités collectives très particulières sur l'image d'un soi collectif à la télé. Une partie de la population refusait de voir dans Basile et sa gang le Québec ouvrier et débonnaire. Cette même partie se scandalisait de l'invasion du monde ordinaire, transformé en Nana Mouskouri ou en Elvis dans *Les Tannants*. Et, aujourd'hui, on exprime la même crainte face aux jeunes chanteurs amateurs de *Star Académie*.

Pour d'aucuns la scène doit être réservée aux professionnels consacrés et «habilités» à être messagers et, pour d'autres, la télé est le lieu même de la métamorphose magique. Dans les deux cas, le mythe de l'artiste existe. Pour les uns, le principe de l'apparition est plus intérieur et progressif, pour les autres, plus concret et immédiat.

Parce que ce mythe est très important et précieux dans le cœur de tout le monde, cette controverse vire à la chicane.

Notre hypothèse de travail

Résumons d'abord les faits de départ :

Un concept étranger a réussi à s'imposer à la télévision québécoise, ce qui constitue un exploit en soi. Ce concept exigeait normalement un investissement qui dépassait largement les possibilités habituelles de cette télévision, compte tenu de son bassin démographique et, conséquemment, de sa rentabilité.

Ce concept est dans son essence relativement simple, voire anodin, puisqu'il reprend la longue tradition des concours d'amateurs qu'on retrouvait jadis en salle et maintenant à la télévision sous toutes sortes de formes.

Star Académie pouvait refaire les exploits d'émissions antérieures et créer une force de rassemblement comme la télé québécoise sait le faire, de manière à revaloriser la présence des chaînes généralistes, et particulièrement TVA.

Par contre, cette émission ouvrait une brèche menaçante pour l'invasion chez nous de la « trash-tv ». Elle a immédiatement suscité d'abord des doutes, ensuite des craintes et finalement d'importantes critiques concernant le rôle de Quebecor dans cette affaire. Mais les charges n'ont pas refroidi l'ardeur des téléspectateurs.

Star Académie prend appui sur le mythe de la découverte du poète, du chanteur, de l'artiste. L'émission a ranimé cette croyance collective solide voulant que certains membres de n'importe quelle société soient destinés à devenir des messagers entre leur communauté et un au-delà utopique, de jouer le double rôle d'intermédiaire et de rassembleur.

Mais cette marque du destin est loin d'être évidente, puisqu'elle n'appartient pas à une classe sociale en particulier, ni à un sexe, ni à un sous-groupe. Elle peut se retrouver chez n'importe qui. Il faut donc partir à sa découverte.

Star Académie est ainsi devenu un vaste laboratoire public de cette mise à nu d'un génie. Conformément au déroulement d'un mythe, ce dévoilement ne s'effectue pas sans mal. Les héros devront traverser certaines épreuves, se «découvrir» en quelque sorte en abandonnant progressivement certaines apparences, certaines carapaces qui enferment et «tiennent prisonnier» le génie enfoui.

Ainsi quatre couches, quatre enveloppes, superposées à la manière des poupées russes, masquent le génie du messager. Certains n'accepteront pas de s'en défaire, se sentant trop menacés par cette divulgation d'eux-mêmes, mais surtout par l'implication d'un autre soi. Ils vont refuser l'expérience et, par conséquent, l'appel de cette vocation. D'autres vont accepter les épreuves une à une pour faire partie de ce cénacle. Et les gens vont alors déterminer qui parmi eux va avoir le mieux surmonté les embûches et, ainsi, se dévoiler comme étant le meilleur messager.

La première carapace est d'ordre psychologique et concerne la performance des candidats à l'**école**. L'élève moyen résiste toujours devant ses professeurs. Il protège son intégrité. Il veut conserver le contrôle de son changement, de sa propre transformation pour ne pas perdre son identité. Mais, en même temps, il sait qu'il doit se tenir disponible à la modification de soi s'il veut progresser. Les téléspectateurs vont alors être témoins des académiciens qui résistent et de ceux qui se rendent disponibles aux changements, ceux qui progressent et ceux qui stagnent (Chapitre quatre).

La seconde couche est sociologique. Le jeune candidat accepte-t-il de devenir le porte-parole, le représentant d'une communauté, d'un groupe ? Il doit manifester une force, une présence pour que les gens commencent à croire en lui, choisissent d'en faire leur héros. Il doit se dévoiler comme chef, accepter cette fonction d'entraîneur, de meneur au risque de décevoir un jour ses partisans. Il accepte de tirer profit de son rôle de chef, mais en se mettant au service de son groupe. Certains candidats vont se voir dans ce rôle de **chef charismatique** et d'autres n'oseront pas se mettre à l'avant. Ou bien ils disparaîtront, ou bien les téléspectateurs les mandateront contre leur gré... (Chapitre cinq).

La troisième enveloppe est d'ordre philosophique. Puisqu'on peut simuler le talent, donner l'impression du génie, chaque candidat doit faire la preuve de sa sincérité. Chaque candidat doit accepter de laisser apparaître sa **vérité** au-delà de ses performances et des images qu'il projette pour gagner le concours. Chaque geste, remarque, expression de sentiment et d'émotion va permettre de départager la part de jeu et la part de vrai chez chaque candidat. En bout de course, la vérité des compétiteurs va s'avérer décevante, simple et banale ou encore riche, complexe et énigmatique comme se doit de l'être un vrai messager (Chapitre six).

La quatrième couverture est d'ordre mythique ou symbolique. Nous atteignons le cœur du jeu. Le talent véritable va émerger d'un creuset mystérieux et fastueux. Il portera en lui des signes qui rappellent d'autres messagers ou manifestations imaginaires importantes et précieuses. Il se transformera progressivement ou non en symbole lourd, en **archétype**. Grâce à ce rapprochement, les images deviennent plus claires, plus évidentes, le talent apparaît, émerge, se dévoile dans sa limpidité et sa splendeur. C'est le couronnement, la révélation (Chapitre sept).

Certains candidats vont se sentir immédiatement trop menacés et souhaiter s'exclure de cet enjeu. D'autres auront du mal à accepter d'être modelés par l'école, de développer un style, une façon d'être dictée par d'autres; ils vont se sentir brimés par les professeurs, et même humiliés dans ce qu'ils sont profondément. Ils vont sentir le besoin de s'en aller pour protéger leur intégrité.

Ceux qui restent devront alors prouver qu'ils peuvent se comporter en leaders solides auxquels on peut accorder notre confiance. Les candidats plus fragiles, moins sûrs d'eux, plus intimidés sortiront du jeu.

Puis débute la vraie recherche du génie chez les survivants. D'abord par la reconnaissance de personnalités d'exception, qui ne soient pas trop ordinaires, ni par contre trop énigmatiques ou paradoxales. On accordera alors notre préférence aux candidats riches en secrets et en potentialités.

Finalement, ces personnalités trouveront résonance dans le bassin de symboles choyés par la communauté, des symboles qui rappellent certains idéaux, certaines utopies et qui sont partagés par l'ensemble des gens. Le messager est alors consacré. Prêt à faire son boulot...

En examinant l'évolution de l'émission, semaine après semaine, les crises et résistances des candidats, les remarques des professeurs, les verdicts des téléspectateurs et surtout l'élimination des candidats, nous verrons comment la sélection s'est logiquement et structurellement opérée, pourquoi les gens ont manifesté leur préférence et, finalement, quelle était la force communicationnelle de ce show.

D'où l'intérêt à le suivre.

Chapitre quatre

L'ÉCOLE

Photo : Frédéric Auclair

Profondément marqués par la manière qu'avaient les Amérindiens d'élever leurs enfants sans les obliger à se morfondre le nez dans des manuels et à mettre des « s » aux bons endroits, les colons du régime français se montrent farouchement réfractaires à retirer leurs enfants des champs ou de l'étable pour les envoyer s'ennuyer à l'école. Ces derniers ne devaient d'ailleurs pas se plaindre de prendre la carabine plutôt que la plume. Cette tradition s'est perpétuée et les Québécois sont demeurés très largement résistants à la formation académique, encouragés en cela par le clergé, méfiant des gens instruits.

L'opposition aux études fut à ce point farouche que l'école obligatoire gratuite au primaire venait à peine de débuter, en 1945, quand la télévision fit son apparition, en 1952. Mais entre ces deux dates, le monde avait basculé. Avec la fin de la guerre, l'ère de la modernisation, de la démocratie et de la consommation avait surgi, bousculant gravement les anciennes coutumes.

La télévision est vite apparue comme un obstacle au travail scolaire, une nuisance aux études. Les parents et les professeurs lui reprochaient de retenir indûment leurs jeunes, comme c'est le cas pour Internet aujourd'hui. En fait, le conflit latent entre l'école et la télé demeure très représentatif de la confrontation de deux époques favorisant des structures d'autorité bien différentes.

L'école appartient toujours à l'ancien monde, celui de l'ordre et de l'obéissance. Alors que la télé défend une liberté personnelle où rien n'est imposé et tout est décidé par le récepteur… Un monde dominé par l'idée de soumission contre un autre, articulé autour de la liberté de pensée. L'enfant doit encore se plier aux directives de ses professeurs, alors que zapette en main il se donne le droit de vie ou de mort sur ceux qui lui sourient et l'invitent dans leur monde à la télé. Le pouvoir laissé à l'émetteur ou au récepteur, telle est la mesure irréconciliable entre les deux institutions.

Il est donc intéressant de constater que *Star Académie* rompt avec une longue tradition d'ignorance mutuelle. En mettant ainsi l'école de l'avant, *Star Académie* va-t-elle contribuer à régler un contentieux vieux de 50 ans, à réconcilier l'éducation et la télévision ? L'émission reproduit justement la structure d'une école traditionnelle et ne s'en cache pas. Cette émission devrait donc en vanter les mérites, comme en 1990, quand Émilie Bordeleau avait fait de l'enseignement et de l'apprentissage une passion personnelle dans *Les Filles de Caleb*.

Par contre, les règles de la télévision s'imposent, bien évidemment. Avant d'être une école, l'émission reste un show de variétés. Comment aurait-on pu faire un bon spectacle en soulignant des erreurs sur des feuilles de solfège ou en exigeant une dissertation sur le rôle de la chanson dans le développement du nationalisme québécois?

Les concepteurs de l'émission ont plutôt imaginé une école parfaite, jamais lassante, jamais chiante et avant tout essentiellement pratique, celle dont tous les adolescents rêvent. Des ateliers animés par des professionnels du métier en vue d'acquérir une habileté professionnelle solide. Point. Pas d'examens de français ou de chimie, pas de longues heures exténuantes à s'interroger sur la dynamique des fluides ou même à apprendre l'histoire de la musique et de la chanson. Aucune connaissance abstraite ne viendra ennuyer les élèves, il n'y aura que du pratique.

Star Académie tente, à sa manière, de reconstruire l'image de l'école sous les traits d'une école utopique. L'émission reprend le mythe de l'école comme on la rêve en couleurs, livrant un enseignement concret, donnant des résultats immédiats et menée par des professeurs complètement dévoués au progrès et au succès des étudiants. Une école idéale aussi par le lien direct avec le milieu et le «vrai monde» grâce aux nombreuses visites des plus grandes autorités artistiques – chanteurs et chanteuses, humoristes, comédiens et comédiennes –, des gens d'expérience prêts à témoigner sur les hauts et les bas du métier et même à l'occasion à accompagner les étudiants dans leurs travaux pratiques.

En inscrivant le processus d'apprentissage dans un concours, le gagnant étant celui qui retiendra le mieux les leçons des profs, suivra le mieux les directives, *Star Académie* rétablit le rapport d'autorité en faveur des enseignants, des émetteurs, mais au prix d'une concession importante en faveur de la télé. Il faut que les résultats soient palpables, immédiatement reliés au profit des étudiants et visibles pour les téléspectateurs. Sinon, comment pourrait-on juger des bienfaits de la formation ?

Cette émission propose donc une réconciliation négociée entre l'école et la télé. On redonne l'autorité aux maîtres, mais toute la formation est centrée sur l'acquisition par les étudiants d'une compétence immédiate et tangible. De plus, l'Académie ne les obligera pas à se plier à aucun effort qui leur semblera, à eux et aux téléspectateurs, dérisoire.

Tous les signes extérieurs d'une école huppée et élitiste feront partie du décor : studio professionnel dernier cri, salle d'entraînement, sauna, piscine. La renommée des professeurs va impressionner les élèves et le public. Mais ils vont surtout s'organiser pour que l'apprentissage soit amusant et que la matière s'absorbe sans aucune constipation.

Le mythe de la découverte va ainsi prendre appui sur le cliché d'une école idéale, où la soumission aux consignes trouve immédiatement sa contrepartie dans un apprentissage amusant suivi d'un succès immédiat. Bref, une école qui se vit comme une émission de télé et dont on a expurgé tout effort.

Mais jusqu'à quel point ceci est-il réaliste ? Comment le public va-t-il juger la progression des élèves si tout le monde réussit facilement et parfaitement, si l'effort ne sert pas à départager les bons des poches ? De même, comment les professeurs vont-ils évaluer des étudiants qui deviennent tous automatiquement bons et compétents grâce à leurs judicieux conseils ?

Abordons donc la formation à *Star Académie* et ensuite l'évaluation.

La formation

Une anecdote a vite donné le ton. Dès leur retour au château après le premier gala, Joselito Michaud, en chef sérieux, a convoqué sa troupe et a fait le bilan de leur performance quelques heures plus tôt. Il a tout de suite reproché à Émily son excès d'exubérance, jupe courte et jambe en l'air. De toute évidence, elle avait exagéré... Il a parlé de dosage d'énergie, de contrôle de soi, de calcul. Émily a très bien pris la remarque. Elle a tout de suite avoué avoir de la difficulté à maîtriser son enthousiasme.

Ce bref commentaire de Joselito Michaud a annoncé trois choses aux téléspectateurs. Premièrement, il a établi sa crédibilité et celle des spécialistes comme lui. Il était là pour dire la vérité et ne rien cacher des défauts des étudiants.

Deuxièmement, l'acquiescement d'Émily et l'approbation des autres a bien indiqué que les jeunes étaient conscients de leurs lacunes et prêts à respecter les directives. Dès lors on pouvait prévoir une évolution, un progrès au fil des semaines.

Troisièmement, l'attitude excessive d'Émily n'avait échappé à personne. Les propos de Joselito Michaud confirmaient les remarques des gens et faisaient d'eux des spécialistes en herbe. En effet, tout le monde avait repéré cette ardeur excessive chez la jeune entraîneuse. Des milliers de personnes se sont alors fait une réflexion du genre: «Je l'avais vu; je suis donc capable d'analyser le show moi aussi.» Autrement dit, elles devenaient partie prenante de l'école.

Une remarque a suffi pour asseoir la crédibilité de l'Académie, pour «placer» les élèves dans leur rôle d'apprentis et pour faire des téléspectateurs des «gérants d'estrade» confiants... Les cours pouvaient donc débuter, chacun étant à sa place...

Dans ce contexte, de quoi les téléspectateurs ont-ils été invités à être témoins? Les émissions hebdomadaires ont livré quelque 32 séances de cours-ateliers, tous sous la forme d'exercices et répondant presque tous à des consignes physiques. Rien de cérébral là-dedans qui soit relié à une connaissance le moindrement intellectuelle. L'antithèse de *Génies en herbe*... Tout passe par un jeu qui demande avant tout un contrôle corporel. La formation à *Star Académie* va ainsi reposer quasi essentiellement sur le développement d'habiletés techniques manuelles.

C'était manifeste notamment dans les cours de Bruny Surin. On y travaillait la musculation, la coordination, les réflexes: conditionnement physique, boxe, karaté, football, escrime, etc. Souvent, ces très brèves initiations aboutissaient à peu de choses, à se faire tomber, à se tapocher ou à jouer à Zorro...

Toujours rattachés au corps, les cours Maybelline sur le maquillage et sur le «*body language*». On a commencé avec les filles. Et les gars ont suivi. Ces ateliers portaient essentiellement sur les techniques de construction d'une apparence physique attirante, la fabrication de son «look», en somme, à l'aide d'enduits ou par la pose, la posture. Les exercices accompagnant ces cours portaient sur les manières de se présenter devant un photographe.

Les ateliers de danse furent importants. On y répétait généralement les figures prévues pour le dimanche suivant. La première semaine, les élèves ont aussi participé à un atelier d'improvisation. Pratique abandonnée par la suite.

Plus directement reliés à la performance vocale, quelques cours de chant et de diction, peu comparativement au sport ou au look. Mais bon... Chanteur populaire oblige, dirait-on...

Reste l'atelier d'interprétation scénique animé par Denise Filiatrault. Au départ, elle assurait aussi une formation technique: articulation de la parole, intonation, position du corps. Ensuite, elle est allée un peu plus loin de manière à relier la gestuelle et l'affectif. Elle montrait, par exemple, comment «faire sortir l'émotion».

Mais Denise Filiatrault a surtout développé une figure de mère exigeante avec ses «enfants». Elle seule s'est permis des remontrances sur leur paresse, leur mollesse, leur démission. Elle leur a bien signifié que leur manque de volonté les mènerait tout droit à l'élimination. Elle a «dégonflé leur baloune» en leur signalant que le métier qu'ils envisageaient est ardu et exigeant. Bref, le savon parfait pour remettre l'école à sa place, dans ses ornières traditionnelles. Autrement dit, c'est bien beau le chouchoutage, mais il faut aussi travailler... François, qui se chargait toujours de détendre l'atmosphère dans les moments de stress, a remercié maman Denise de les avoir remis à leur place. Petit détour donc vers l'ancienne vision de l'école, histoire de bien faire sentir au public que *Star Académie* repose sur des assises séculaires sérieuses et qu'elle n'est pas juste de la télé... S'il faut faire mal...

La formation tente donc de réhabiliter l'école dans un monde de télé : très physique, très visuelle en fait, mais avec le maintien de la structure d'autorité des anciennes écoles. Un peu plus et on sortait le petit coin.

En marge des ateliers réguliers, des rendez-vous plus ou moins formels avaient été prévus avec des artistes en vue. Parfois les étudiants se déplaçaient pour assister à un spectacle et rencontraient l'artiste après le show (Anctil, Dion). Mais la plupart du temps, les invités se présentaient au château de Sainte-Adèle. Les élèves purent ainsi rencontrer quelque vingt « consultants ».

Ils ont côtoyé leurs idoles quelques instants (Annie avec Céline Dion) et même travaillé avec eux, comme le firent François et Boom Desjardins. Mais la très grande majorité du temps, ces contacts se résumèrent à quelques considérations morales sur l'art de se lancer des défis à soi-même, plutôt que de vivre la compétition (Piché), sur l'importance de croire en son talent (Reno), sur les injustices du métier (Forestier), etc.

Photo : Julien Faugère

De concert avec le reste de la formation, ces rencontres ont été le plus souvent physiques qu'intellectuelles. Voir Jean-Michel Anctil en personne, toucher à Céline Dion ou embrasser Garou, ces moments privilégiés vont constituer des sensations plus marquantes et mémorables que les propos tenus ou recommandations professionnelles. Ces surprises faisaient plus partie de la magie d'être là, à *Star Académie*, que de l'apprentissage comme tel. Martin, par exemple, sous le choc, ébloui d'avoir chanté en compagnie de Gino Vanelli.

Ces rencontres reformulaient l'écart entre les professionnels, les gens de métier et les «ti-culs» de l'école, entre les vrais et les aspirants, entre le monde du spectacle et le monde ordinaire. Par contre, la simplicité des Lama, Boucher et autres rendait le premier de ces mondes accessible. Elle permettait de palper le rêve devant soi. Chocs motivants, ces visites donc, plus qu'un apprentissage.

L'évaluation

Quelques ateliers par semaine, des rencontres périodiques avec des compétences – sans jamais quitter le niveau des élans admiratifs –, des exercices pour préparer les épreuves ou les performances du dimanche soir, voilà ce qui résume l'ensemble de la formation à *Star Académie*. C'est bien peu face à des enjeux professionnels sérieux.

C'est fort de ces informations que le public décidera ensuite du sort des participants. De même que les professeurs puisqu'ils n'étaient en contact avec les élèves que dans le cadre de leurs propres ateliers.

Or, cette évaluation était importante. Plus longtemps un candidat résistait à l'élimination, plus son image publique prenait forme. Il gagnait en popularité, se donnant l'occasion de démarrer sa carrière plus rapidement et facilement. Même si, à travers des élans tout à fait maternels, Julie Snyder s'acharnait à répéter que ça ne comptait pas, que le groupe se reformerait à la fin, le concours en était un vrai : solide, cruel. Il y a vraiment eu des gagnants et des perdants.

Le pouvoir des professeurs était considérable. Ils décidaient des élèves en danger et procédaient à l'exécution finale d'un candidat par semaine durant la première partie du concours. Sur quoi appuyaient-ils leur jugement ? Quels étaient les éléments importants les amenant à poser un verdict de menace ou d'exécution ?

À cet égard, le contenu des commentaires formulés privément ou exprimés publiquement le dimanche a de quoi étonner. Joselito Michaud trouve bonne l'interprétation de François mais elle ne l'a pas touché. Denise Filiatrault demande à Jean-François s'il est heureux. Il l'est. Elle est satisfaite. Joselito Michaud et Denise Filiatrault avouent avoir été impressionnés par Marie-Mai car elle n'a que dix-huit ans, sans plus. Et ainsi de suite. On s'est vite retrouvé loin des commentaires de Joselito Michaud sur les contorsions d'Émily le premier soir.

Photo : Julien Faugère

Le peu de rigueur des appréciations donnait une impression de flou, de vague, d'approximatif. Devant Maritza, les profs conviennent que son interprétation est bonne, mais qu'elle a encore du travail à faire vocalement. Ils reconnaissent qu'Annie fait des progrès, mais qu'elle doit travailler sa gestuelle. On parle de « charme » pour Maritza. On souligne le « manque de présence » chez Wilfred ou que Jean-François n'avait pas la « bonne émotion ». On indique que François « pourrait aller plus loin », que Martin « s'est démarqué ».

Jamais il n'est question d'approfondissement, de maturité, de changement radical, de modifications importantes. Bref de transformations comme on l'exige dans une école sérieuse. Les personnalités sont sensiblement demeurées les mêmes du début jusqu'à la fin. Dès les premiers instants, Marie-Mai faisait preuve de facilité et de «versatilité», comme le soulignait Linda Mailho à la fin du concours, ou encore Wilfred qui se montrait une personnalité «tranquille» tout au long de son séjour à Sainte-Adèle, comme le faisait remarquer Bruny Surin.

En fait, les évaluations reflétaient le contexte des ateliers. Les profs commentaient quelques efforts, quelques manœuvres habiles chez les étudiants pour les impressionner, quelques démissions et coups d'anxiété. Ils ne pouvaient pas aller plus loin. Ils ont tout fait pour rendre justice à chaque étudiant, à travers les bons ou moins bons coups. Mais la matière de leur évaluation, en dépit du caractère crucial des décisions, demeurait fort superficielle.

L'expérience de l'école était trop rapide, trop échevelée pour donner des résultats vraiment significatifs. Les profs ont quand même eu l'occasion de désigner discrètement leurs favoris en ne les retirant pas du jeu, évidemment, mais surtout en ne les menaçant jamais: Martin et Marie-Mai.

Ces deux «chouchous» avaient-ils effectivement quelque chose de plus ou de mieux que les autres? Et, si oui, pourquoi le public n'a-t-il pas suivi et entériné le choix des spécialistes?

Les résultats

N'étant jamais mis en danger, les juges n'eurent pas à signaler au public des défauts décelables chez leurs deux préférés. Après une interprétation de Martin, Denise Filiatrault a approuvé les commentaires de Joselito Michaud («magnifiquement bien», «défi difficile à relever»), mais a ajouté qu'il avait «besoin de travailler avec Linda Mailho». Ce fut la seule remarque négative de toute la série adressée soit à Marie-Mai, soit à Martin.

Leurs compliments d'ailleurs se ressemblaient ou étaient carrément les mêmes. Polyvalence (on utilise alors l'anglicisme «versatilité»), originalité, registre étendu de possibilités, bref les deux étudiants surprennent par leur facilité à exécuter toutes sortes d'interprétations, sur plusieurs tons. Ils vont faire la conquête des professeurs grâce à leur faculté d'adaptation. Ils ne reculent devant aucune consigne, aucun exercice. Prêts à tout essayer, ils prennent «les exercices de front», comme le disait Denise Filiatrault à propos de Marie-Mai. Ils ont très bien intériorisé leur rôle d'étudiants modernes disponibles, ouverts à n'importe quelle expérience.

Ils sont à l'aise tout autant en anglais qu'en français. Ils abordent l'italien, l'espagnol sans complexe. Ils chantent, dansent, jouent la comédie, récitent des bouts de textes toujours avec la même dextérité, la même aisance. Ils incarnent ce nouvel idéal artistique d'une bête de scène capable de tout. Capables de passer de la chanson au jeu dramatique, du tragique au comique en une seconde. Inventifs en musique, en poésie, en interprétation scénique. Physiquement («*top shape*» comme le disait Surin à propos de Martin) et mentalement sains. Apparemment aucun obstacle ne pouvait les arrêter.

Ils se montraient dociles à l'école, parfaitement adaptés à ce milieu, tellement tout leur réussissait. Au point où ils ne donnaient même plus l'impression de vivre une compétition avec les autres. Ils avaient ce qu'on appelle un talent naturel. Comme si Marie-Mai avec son bagou et Martin avec son côté étonnamment caméléon rassuraient les profs et l'équipe de *Star Académie* face à cette aventure téméraire.

À l'inverse, les élèves incapables de s'intégrer, d'affronter le jeu de l'école, de s'extérioriser furent les premiers à être évacués : Pascal et Élyse. Ces deux candidats, talentueux mais solitaires, se sont marginalisés dès les premières journées.

Comme un petit renard à l'orée du bois, Pascal ne pouvait pas survivre aux exigences d'une telle expérience communautaire. D'aucune manière ce n'était son mode d'expression, ni surtout probablement de création. Les consignes scolaires, les travaux de groupe, le tourbillon vertigineux du monde autour de lui, tout cet embrigadement l'effrayait. Lors du gala où il fut évacué, son exécution fut minimale.

De même pour Élyse qui, dès la première évaluation, a reconnu avoir des problèmes d'adaptation à vivre en gang. Elle s'efforçait de cacher son méchant caractère, disait-elle. Mais elle laissait sous-entendre qu'il pouvait exploser n'importe quand. Comme si elle se méfiait d'elle-même et craignait qu'une soudaine perte de contrôle dévoile sa vraie nature. Lors de l'événement où les candidats ont été forcés d'opter pour Pascal ou Stéphane, Élyse fut la seule à ne pas prendre la chose au tragique et à confronter Pascal sans aucun remords. Le soir où elle fut elle-même menacée, elle a interprété « Sunday Bloody Sunday » parce que cette chanson traite de la guerre. Une guerre comparable à celle de *Star Académie*, disait-elle. Aux yeux d'Élyse, le semblant d'école ne gommait pas le concours, la tuerie en direct entre les candidats. Elle ne voulait pas se sentir piégée et prendre le risque que sa férocité secrète fasse surface. Elle aussi a préféré se retirer du jeu.

Autant Marie-Mai et Martin se montraient à l'aise à l'école au point de donner l'impression d'en oublier la compétition, «*just for the fun of it*», autant Pascal et Élyse ne pouvaient surmonter la réalité de la prise en charge par les profs et surtout de la compétition entre eux. Mais ça ne s'est pas arrêté à ces deux démissions.

Deux autres candidats auront du mal à s'ajuster aux exigences de l'école: Stéphane et Suzie. Le talon d'Achille de Stéphane: les cours de diction. Le cauchemar, la descente aux enfers. Dès la première convocation, il traîne de la patte, arrive en retard, sacre, devient immédiatement le cas problème de la prof. Et surtout, il s'énerve, ne parvient pas à garder son calme. La fragilité du solide gaillard va surgir de cette terrible épreuve. Sa fibre forestière est attaquée. C'est toute sa personnalité qui risque d'être affectée s'il change sa manière de parler. Va-t-il couper ses racines régionales et devenir complice des «culs-de-poule» et des «péteux» de Montréal? Jamais! Il refuse de trahir ses parents, sa gang qui justement l'observent depuis Normétal. Laisser tomber son joual leur aurait signifié qu'il se détachait d'eux, prenait ses distances, se préparait à les renier.

La semaine suivante, même maudit problème. Mais Stéphane fait des efforts d'ajustement. Il passe à travers le cours sans trop de dommages, mais dirige sa colère sur Joselito Michaud pour une question de vêtements qui tardent à revenir du nettoyeur (après l'accent, les habits sont la seconde grande marque d'identification et d'appartenance). Il l'avoue à Joselito, se libère un peu. Le joual, les sacres, la «bedaine à l'air», toutes ses habitudes sont mal reçues au château. Et que peut-il faire s'il ne réussit pas à se faire accepter tel qu'il est, s'il perd le contrôle de sa personnalité ? Il ne pourra pas changer radicalement, se métamorphoser en gars de la ville, devenir un autre Stéphane. Il est incapable de se construire un personnage. Il ne le désire surtout pas.

Il est cuit.

Pendant deux semaines, il va continuer à faire le clown, mais le mal est fait. La carapace est touchée. L'école l'a tué. Il a suffi d'un cours pour le jeter à terre et lui faire comprendre qu'il ne sera jamais chez lui au château. Il appartient à un autre monde.

Il va redevenir lui-même au dernier moment, lors de sa dernière prestation. Avec son veston blanc, *Pretty Woman* et ses allures de rocker de campagne, il va retrouver son intégrité et, mieux, il va l'affirmer, tout en sachant très bien que ce geste constitue son suicide dans *Star Académie*.

Le cas de Suzie est similaire mais plus diffus. Très vite, elle se tient à l'écart à l'instar de Pascal et d'Élyse. Dès la première semaine, elle manque la rencontre avec Paul Piché. Puis elle troque une minute de téléphone avec Annie pour pouvoir parler plus longtemps avec son «chum», se connecter plus longtemps à l'extérieur.

Mais elle décide de rester et impose aux autres sa nature capricieuse. Très tôt, elle chiale sur des niaiseries domestiques. Elle ne concède aucun désagrément qui l'achale, les traîneries des gars, les vidanges, les jus renversés, etc. Elle chiale parce que le maquillage l'empêche de se concentrer le dimanche soir. Elle fait une crise à sa sœur pour la sortir des toilettes.

Elle ne se présente pas aux rencontres et aux ateliers. Elle se fout de la formation. Elle s'est fait mettre souvent en dehors des cours et en est fière. Elle n'aime la vie de Sainte-Adèle que le samedi et le dimanche… Déjà, sa façon de «parler bébé» témoigne de son manque de maturité. Même sa mère l'encourage à rester à Sainte-Adèle pour lui permettre de vieillir. Quand Joselito tente de la réenligner, elle reconnaît qu'elle provoque elle-même ses complications. Mais elle se ferme aussitôt. La seule critique la concernant acceptable à ses yeux étant celle qu'elle se fait elle-même.

Imperméable aux commentaires, l'impénétrable Suzie s'objecte à tout ce qui l'oblige à quoi que ce soit, donc aux consignes de la maison, aux directives de l'école, à l'obligation de tenir compte des autres. Extrêmement narcissique et «lireuse», repliée sur elle-même et insensible, elle attend sa libération avec hâte. Même le public attentif aux hauts et aux bas de la maison constate son comportement désagréable, tout en l'encourageant à rester. Comment bouder une chance pareille dans sa vie? Mais Suzie voit les choses autrement. Elle préfère conserver sa nature de petite princesse capricieuse plutôt que de subir les devoirs de l'école et de taire ses humeurs au profit de la vie en groupe. Elle pleure, elle boude, elle capte l'attention par sa morosité. Bref, elle pompe l'air de tout le monde, mais elle ne part pas…

Subtilement, elle réussit alors à coincer le jeu. Paradoxale, elle qui n'accepte aucune remarque laisse le soin aux autres, profs et public, de décider de son sort à l'Académie. De fait, lors du gala du 16 mars, le public va la bouder. Par contre, les professeurs vont préférer la garder plutôt que la très volontaire Émily.

En ondes l'affaire est, semble-t-il, réglée. Mais Suzie ne manque pas de ressources: aussitôt dans l'autobus du retour, elle parle de partir. Du coup, elle brise l'enchaînement des éliminations, menace la suite du déroulement des galas. Ne pouvait-elle pas se décider plus tôt! Émily n'aurait pas subi si tôt son éviction de l'école...

Suzie chiale, attire l'attention, pleure. L'Académie s'énerve. Devrait-on rappeler la pauvre Émily abandonnée? Du Suzie de première classe, un spectacle en soi...

L'enfant-roi à l'école, c'était elle...

Les deux solitaires introvertis, Pascal et Élyse, Stéphane «l'étranger» et Suzie la «difficile», ces quatre candidats ne voulaient ni ne pouvaient accepter à fond le contrat de la métamorphose par l'école. Ils ont senti qu'ils avaient trop à perdre. Chacun à sa façon s'est objecté au façonnage, à la modélisation de son caractère pour en faire une vraie petite vedette. C'était rester eux-mêmes ou devenir des chiens savants. Ils ne pressentaient aucune autre possibilité.

Ni Marie-Mai avec sa faconde frondeuse, ni Martin avec sa flexibilité de salamandre, ne sentaient l'aliénation au bout des cours, le cassage de caractère derrière les exercices. Bien au contraire. Toutes ces commandes les amenaient à mettre en valeur de nouvelles facettes d'eux-mêmes, à dégager de nouvelles ressources.

Comme partout en classe, les premiers et les derniers font face à cette réalité de réagir aux obligations. Les bons s'adaptent, jouent le jeu, sont appréciés. Les autres sont sur la défensive, se braquent, quittent l'école avec le sentiment d'un échec au cœur... Et souvent avec de la culpabilité au ventre.

Star Académie aura peut-être été une fausse école par son caractère expéditif, par sa volonté d'en rester aux consignes techniques et de vouloir livrer à tout prix des résultats concrets, visibles. Mais peu importe le genre et l'efficacité de l'école, les professeurs auront toujours des intentions plus ou moins secrètes ou inconscientes, favoriseront toujours certains au détriment d'autres. Les étudiants vont continuer de se départager entre les bons et les poches. Les uns et les autres vont adopter toutes sortes de stratégies pour s'en sortir avec plus ou moins de bonheur et d'élégance. Certains en tireront des souvenirs plaisants, d'autres extrêmement désagréables…

Star Académie a ainsi pris appui sur l'école et ses principes pour définir les règles de jeu du concours. Mais alors comment se fait-il que le public ne se soit pas enligné sur les profs et n'ait pas accordé la palme finale à Marie-Mai ou à Martin ?

Peut-être n'y a-t-il pas que l'école dans la vie. Peut-être que les téléspectateurs ont renouvelé la tradition et accordé une importance toute relative aux succès académiques.

En sourdine et en deçà de la compétition entre les académiciens, une autre joute s'est imposée entre le personnel de l'Académie qui défendait sa vision du candidat idéal, et le public qui en protégeait une autre. C'était à qui aurait le dernier mot.

Mais sur quoi le public va-t-il alors faire reposer son jugement final ?

Chapitre cinq

LE RASSEMBLEUR

Photo : Jean Langevin

Quand j'ai entrepris des démarches pour assister à l'un des galas en compagnie de mes étudiants à la maîtrise, le responsable des réservations m'a répondu que, en 25 ans de carrière, il n'avait jamais vu ça: personne n'annulait. Il ne pouvait même pas compter sur quelques défections pour nous mettre en «*stand-by*». Tous ceux qui bénéficiaient d'un droit d'entrée tenaient à être de la fête, à n'importe quelle condition.

En télé, deux tendances décident de la popularité: le nombre de téléspectateurs et la fidélité. Nous pouvons être très nombreux à partager un certain plaisir devant une série, *Fortier*, par exemple. Ou encore être peu ou moyennement nombreux à la regarder, mais à vraiment adorer l'émission, de manière à en faire une série «culte», comme ce fut le cas pour *La Vie la vie*.

Photo : Olivier Samson Arcand et Yan Lasalle

Parfois une émission va réussir le double coup: soulever l'enthousiasme frénétique de la majorité de la population. Dépasser la segmentation sociale et captiver tous les auditoires potentiels, hommes et femmes, jeunes et vieux, urbains et campagnards, indigènes et immigrants, etc. Ce moment rare provoque un tel impact qu'il entraîne un ralentissement significatif de l'activité sociale. Le soir de la diffusion, les étudiants boudent les cours, les centres commerciaux sont silencieux, les restaurants déserts. Même les salles d'urgence des hôpitaux profitent d'une accalmie.

Les relevés d'audience modernes donnent un aperçu relativement précis du nombre de gens à l'écoute d'une émission. Mais nous ne disposons d'aucun baromètre méthodique indiquant l'état de ferveur collective autour d'une émission. Nous devons alors nous rabattre sur quelques indices: achat massif de magazines à potins, commentaires radiophoniques nourris, etc. Même les tollés d'opposition peuvent être révélateurs de la commotion d'une émission, comme cet éditorial paru dans *La Presse*, «La télé en folie», prenant *Star Académie* comme cible. Une frénésie émane de partout. On la sent, elle devient palpable, sans qu'on puisse vraiment la qualifier.

Dans le cas qui nous occupe, l'énorme arsenal de Quebecor a brouillé les pistes. *Star Académie* a profité de la plus grande visibilité déployée pour une émission de toute l'histoire de la télé chez nous. Depuis la une du *Journal de Montréal* jusqu'aux employés d'Archambault habillés à l'effigie de l'émission, publicité et information n'ont fait qu'un. Cette orgie promotionnelle permettait de douter de l'ampleur réelle de l'événement, de son véritable impact.

Mais au-delà de cette charge marketing étouffante, l'émission faisait des vagues par elle-même, et ce, rapidement. Quand Denise, la blonde de Wilfred, lui apprend au téléphone que leur garagiste a fait le changement d'huile gratuitement, l'affaire devient sérieuse... Quand on voit les académiciens avoir droit à une ovation générale lors d'un match de hockey, de toute évidence, la chose « pogne ».

Dès le démarrage, l'émission a attiré le double de téléspectateurs que les experts avaient prévu. Mais surtout, elle a fait sortir les gens de chez eux, les a amenés à se manifester, à faire quelque chose, comme cette énorme inscription en faveur d'Annie peinte sur la porte d'enceinte temporaire du Palais des Congrès de Montréal en rénovation. De partout ont surgi des implications de téléspectateurs autour de l'émission, toutes plus ingénieuses les unes que les autres.

Acceptons l'idée que tous ces gens ne se sont pas laissé attirer par le marketing de Quebecor comme des papillons de nuit par la lumière, mais que cette émission répondait subitement à certaines attentes très largement partagées par la population. Mais lesquelles ? Quelles attentes peuvent être latentes chez autant de monde en même temps et chez autant de gens différents ?

Par quoi les gens ont-ils été attirés en si grand nombre et à ce point par *Star Académie* ?

La bonne nouvelle

Au départ, l'intrusion de *Star Académie* dans la vie de quelqu'un fait partie des choses inattendues mais heureuses qui peuvent arriver, comme gagner la 6/49 ou trouver un Riopelle pour 3 $ au marché aux puces de Saint-Eustache.

La première émission, le gala du dimanche soir, débute d'ailleurs par cette guignolée de la bonne nouvelle. Julie Snyder cavale du nord au sud pour désigner quatorze chanceux. Comme une fée, son micro faisant office de baguette magique, elle va toucher subitement quatorze anonymes qui ne le seront plus jamais.

Elle a jeté son dévolu sur ces jeunes précisément. Elle aurait pu atterrir ailleurs, extirper d'autres personnes du néant. Pourquoi eux ? On ne se pose pas trop de questions. Ça risquerait de rompre le charme. Mieux vaut laisser flotter une impression, un sentiment magique, laissant au destin le soin de propulser tout d'un coup des vies mornes et ordinaires dans un monde de paillettes et de strass.

Avant même que les élus ne retrouvent leurs esprits, Julie leur pose l'inévitable question : « À qui vas-tu l'annoncer en premier ? » De toute évidence, on ne peut pas absorber seul un tel événement. Il faut le partager, amortir le choc à plusieurs, sauter dans des bras, s'embrasser, brailler en gang. La joie, le bonheur sont des émotions de partage.

Émily téléphone à sa mère, François à sa blonde. Jean-François et Stéphane vont rejoindre leur mère. Tout le monde fête. La mère de Wilfred serre fort Julie dans ses bras, comme elle ne l'a probablement jamais été. La coloc de Maritza suit le cortège chez les parents de son chum. La maisonnée d'Annie et de Suzie est paralysée. En France, les bouchons de champagne auraient bondi. Mais ici on en reste aux embrassades.

Devant nos écrans, nous jouons le rôle de voisins ameutés par les cris de joie. Nous ne sommes pas directement concernés. Mais une euphorie enjouée devient vite communicative. De notre balcon télévisuel, nous nous surprenons à sourire. Une petite gouttelette pointe même au coin de l'œil. C'est parti... Nous avons vu éclore le bonheur un soir de février 2003. Ça nous est rentré dans le cœur. Nous allons demeurer aux aguets...

Personne ne s'interroge sur le sens profond de cette invitation à faire partie de l'Académie, dont on ne sait absolument rien. Les candidats sont d'ailleurs les derniers à se poser la question. C'est évident qu'on va suivre la fée Julie dans son château. Pas question de contrat, d'argent, de disponibilité. Que du bonheur. Les candidats sont éblouis par ce prodige hivernal. Le plus beau jour de leur vie commence, un prodige les a atteints.

La télévision fait partie de leur vie depuis leur naissance. Elle les a happés des milliers de fois, attirés par une émission, pris par un personnage, saisis par une émotion. Comme le dit Jean-François à Julie en pointant le téléviseur chez lui: «Habituellement, vous êtes là et grande comme ça.»

Mais cette fois, la télévision est venue les chercher pour les faire entrer dans le petit écran, comme jadis Fanfreluche. Comment auraient-ils pu résister à cet appel, bouder une telle invitation?

La mobilisation est alors immédiate et automatique. Wilfred va oublier la réfection de son bateau. François va abandonner son casque de soudeur, Annie ses bouts de chou, Pascal et Marie-Élaine, Martin et Maritza leurs cours. Jean-François va quitter sa blonde à la veille d'un accouchement. À la guerre comme à la guerre, on part la fleur au chapeau, prêt à toutes les vicissitudes mais aussi tous les honneurs.

Autour d'eux, c'est le bonheur total. Qui oserait faire obstruction à cette marque du destin? Tout le monde comprend: ils vivent avec quelqu'un de particulier, d'exceptionnel. Ils le savaient; ils en ont aujourd'hui la preuve. Ils devront assumer cette chance en voyant soit leur conjoint, leur parent, leur ami les quitter pour un monde meilleur. Tout le monde est persuadé que le sien va réussir. Tout le monde semble touché par la même grâce. Les amoureux et amoureuses attendront patiemment et fidèlement le retour du combattant. Les enfants vont accepter que leurs pères les quittent pour une mystérieuse mission. Les parents voient le rêve de leur enfant prendre forme et s'en émeuvent profondément. Ils témoignent de la longue préparation qui les a amenés là. Ils feront tout pour les soutenir.

Bref, tout le monde est d'accord. Les quatorze grimpent dans la soucoupe volante de la fée Julie, prêts pour le grand envol. Et tout autour le peuple applaudit.

Le party de famille

C'est bien connu: les parents souhaitent le meilleur des mondes à leurs enfants. Depuis des lustres, ils s'objectent à ce que leur progéniture s'engage dans des carrières artistiques. Les artistes font partie d'un monde douteux où l'on mène des vies de fou, se couche à des heures impossibles, consomme allègrement des matières illicites et se roule dans la fange. Toujours selon la vision craintive des parents, leurs enfants devenus artistes devront affronter un public jaloux qui ne ménagera aucune ingratitude, aucune cruauté et qui encouragera une critique assassine, vicieuse. Et pire que tout, des requins affamés appelés producteurs vont circuler sournoisement autour d'eux, les coincer lentement dans les rochers et les dévorer tout cru. Bref, rien de plus catastrophique pour un père et une mère d'apprendre qu'un de leurs petits lorgne vers la scène.

Ici, c'est différent. Nous ne verrons que des parents consentants. Non seulement ils ne referment pas la porte au nez de Julie, mais trépignent de joie eux aussi, sans manifester la moindre inquiétude. Quand la mère de Marie-Élaine explique comment elle a découvert le talent de sa fille, nous voyons se développer l'encouragement et le soutien d'une mère envers sa fille. Quand Dave témoigne de la présence encore vibrante d'un père décédé prématurément, nous voyons que le garçon n'aurait pu s'engager sur une voie qui aurait déplu à son père.

Ces parents vont faire du porte-à-porte pour gagner des votes, lancer des messages d'encouragement à leurs jeunes en crise de confiance ou d'anxiété, adresser sans pudeur des tonnes de déclarations d'amour. Leur vie entière sera consacrée à défendre leurs ouailles. Cette complicité parentale est importante. Elle a grandement justifié le fait que des centaines milliers de téléspectateurs plus âgés sont restés à l'écoute. Symboliquement, ils avaient une place.

Star Académie a ainsi très largement débordé la strate d'âge début vingtaine, pour s'adresser aussi et peut-être prioritairement aux gens dans la quarantaine. Une de mes étudiantes a qualifié *Star Académie* de «show de matante», sans aucune note péjorative. À ses yeux, les gens plus âgés y trouvaient davantage leur compte que les gens de sa génération. Avec ses chansons démodées et les remarques de Denise Filiatrault sur le nombril dégagé de Marie-Mai...

Émotion du côté des vieux, mais aussi exubérance du côté des enfants. La frénésie des galas, avec ses tourbillons de lumières, sa chanson de ralliement mille fois reprise, ses chorégraphies, ses visites surprises, cette profession de foi des plus âgés dans le talent des jeunes, cette importance accordée à l'école et aux succès scolaires, bref plein d'éléments pour attirer aussi les bambins, pour en faire des complices, pour solliciter en douce leur participation et les amener à voter avec la carte de crédit des parents...

Mais plus largement encore, la naissance de l'enfant de Jean-François apparaîtra comme un grand événement dans l'émission. Visite à l'hôpital, félicitations nourries aux parents. L'arrivée d'un enfant ressort comme une manifestation de joie, un bonheur de plus, la vision traditionnelle de la famille qui refait surface. Marie-Mai a même craint que Jean-François soit peu enclin à revenir à Sainte-Adèle. Au contraire, lui a-t-il répondu: ce deuxième enfant a augmenté son sens des responsabilités. Il sait maintenant ce qu'est «une vraie famille». De quoi rassurer les deuxième, troisième et quatrième enfants sur leur sort...

Alors que la télé a tendance à segmenter les téléspectateurs par sexe et groupe d'âge – par exemple Canal D pour les hommes et Canal Vie pour les femmes, ou encore MusiMax pour les vieux et MusiquePlus pour les jeunes –, tout le monde a immédiatement retrouvé une parenté, un équivalent à soi dans *Star Académie,* quelqu'un qui lui permette de regarder l'émission non pas en voyeur distant, mais en véritable participant.

Un de mes étudiants a fait cet aveu devant la classe: «Je suis en journalisme. Je suis sérieux, moi. Je dois donc détester *Star Académie.* Pour moi il n'y a que l'information qui compte, pas ces espèces de shows quétaines. Mais je ne peux pas être contre. Il y a Maritza. Ça fait trois ans qu'on étudie ensemble. C'est ma chum. Je me suis mis à suivre l'émission... À faire comme tout le monde.»

Les liens avec l'émission n'ont pas été aussi étroits que celui qui existe entre mon étudiant et Maritza. Mais très tôt dans l'émission, par la présence de toutes sortes de gens, tous les téléspectateurs pouvaient se trouver une correspondance avec quelqu'un dans ce vaste paysage de parents, d'amis, de concitoyens, de camarades d'école ou de travail. Le vieux cultivateur dans le père de Wilfred, la mère douce et attentive dans celle de Marie-Élaine, le natif de Shawinigan installé à Montréal retrouver ses racines avec Jean-François. Certains vont voir dans la timidité de Pascal une partie de leur tempérament. D'autres, une énergie qui leur correspond dans la fougue d'Émily. D'autres encore vont très bien comprendre l'état psychologique de Stéphane lors de sa crise d'angoisse, le premier soir...

Bref, une vaste impression de réseaux de parenté et d'affinités enveloppe l'émission, lui donne l'air d'un chez-soi rassurant.

Quand une émission est dite rassembleuse, ce n'est pas uniquement parce qu'elle est populaire et regroupe un grand nombre de gens, mais aussi et surtout parce qu'elle reproduit symboliquement des liens sociaux, les évoque, les met en évidence. De la relation la plus intime, comme quand Maritza retrouve sa sœur jumelle installée à Boston, à la relation la plus globale, comme lorsque Bernard Landry, premier ministre du Québec, se pointe à Sainte-Adèle.

Star Académie se veut le cœur d'un immense rassemblement, incluant des millions de personnes. Et simultanément, l'émission promeut l'importance des liens sociaux sous des centaines de facettes. Quand chaque téléspectateur se sent relié au groupe, par une parenté ou une amitié lointaine, une affinité psychologique ou professionnelle, une ressemblance physique, plus personne ne se sent étranger, extérieur et ne regarde l'émission de loin.

De la même manière que Julie est allée chercher les candidats chez eux, *Star Académie* est venue nous chercher dans chacun notre monde à nous.

C'est à cette célébration d'un vaste rassemblement communautaire que *Star Académie* a convié les téléspectateurs en leur montrant bien que chacun avait une petite place dans cette histoire.

Éviter la chicane

Que le party commence donc ! Sans l'ombre de la moindre querelle de famille. Les Québécois ont tous leurs histoires d'horreur à ce sujet. Des réunions de famille qui virent au bordel, à l'engueulade, aux divisions tristes et aux rancœurs fétides. Le spectacle avait toutes les raisons de prendre une vitesse de croisière heureuse. Il ne fallait surtout pas prendre niaiseusement le fossé. Il fallait donc éviter les irritants au maximum.

Quand Claire Lamarche s'est inspirée des talk-shows américains, elle a extirpé les engueulades et surtout les empoignades, toutes ces manifestations violentes qui pourtant assurent le succès de ces émissions aux États-Unis. Elle a remplacé ces ingrédients à faire lever les cotes d'écoute par des retrouvailles, explications, demandes de pardon et réconciliations. L'agressivité est peu présente à la télé québécoise. La violence n'est jamais devenue une valeur positive, rattachée au principe d'une saine compétition inscrite au sein de l'idéologie libérale, comme c'est le cas aux États-Unis.

À cet égard, *Star Académie* version Québec va éliminer deux modalités potentiellement explosives, la drague et le vote entre compétiteurs, qui pimentent pourtant sérieusement le spectacle en Europe. Ici, on va préférer l'effusion de bons sentiments aux coups bas et aux jeux de massacre.

Examinons ces deux exceptions aux règles de l'émission.

Un vieil adage nous recommande de ne jamais parler de politique, de religion ni de sexe en famille. On ne risquait pas beaucoup avec les deux premiers sujets. La visite du premier ministre n'a soulevé aucune discussion. Le déclenchement de la guerre en Irak s'est mué à Sainte-Adèle en ode à la paix, récupéré dans le giron de l'humanisme bonbon. Et mises à part les conversations que Stéphane disait avoir eues avec Gerry Boulet dans l'au-delà, il ne fut jamais question de religion. Restait le sexe…

Toutes ces années passées à observer la télé chez nous ne m'ont pas encore habitué à l'incroyable pudeur de la télévision québécoise. Je fus étonné lors du dévoilement des candidats de constater qu'on n'avait fait aucune place à la drague au château de Sainte-Adèle. On n'a laissé flotter aucun mystère et présenté immédiatement les conjoints ou amis de treize des quatorze participants. Seule Annie était libre et disponible pour l'aventure sentimentale.

Pire : on est allé chercher quatre papas pour former le groupe des sept gars. Mais pas de mère ou de femme enceinte... Le gars peut partir, mais pas la mère peut-être...

Imaginez le spectacle si une des filles avait décidé de débaucher Jean-François ou Dave. Avec de si beaux enfants, Madame Chose... Imaginez les commentaires de Denise captés sur le vif, si elle avait surpris son Wilfred dans les bras d'une autre, en même temps que tout le monde, un mardi soir à 19 h 40... On aurait eu droit à un tout autre spectacle, fait de stratégies de séduction, de passes sexuelles, de meurtrissures, de demandes de pardon et d'abjurations en direct... Un tout autre *Star Académie*, quoi !

On aurait vu tout autre chose que cette vie de famille routinière, calme, perturbée somme toute que par les sautes d'humeur de Suzie et les goinfreries de Stéphane. Une petite rumeur a circulé du côté des internautes à propos de Martin et Annie. Mais rien n'a jamais été clair de ce côté et, surtout, on n'en a jamais fait une affaire publique...

Cette chasteté à Sainte-Adèle aurait de quoi surprendre bien des diffuseurs étrangers... En France, on drague. Aux États-Unis, on «*cruise*». Ici on se fait «chum», y compris entre gars et filles. Cette pudeur sans retenue timide, ni réserve bigote, est apparue comme tout à fait naturelle et évidente pour la quasi-totalité des téléspectateurs. On a préféré les gros bisous gentils au téléphone aux indiscrétions d'alcôve... *Star Académie* a fait la démonstration toute simple que les jeux de séduction ne sont pas le fort des Québécois.

Entre-temps, ça protège la paix dans le groupe... Les gars restent «chums» et les filles ne se crêpent pas le chignon... Et Julie n'a pas à jouer à la police.

La seconde discorde possible concernait le mode de votation tel qu'établi par le concept de base, où il est prévu que les élèves s'éliminent progressivement en votant les uns contre les autres.

Le second gala voguait dans l'euphorie totale. La famille se montrait plus unie que jamais. Même les candidats inconfortables à l'Académie, Pascal et Élyse, cachaient leur malaise devant cette avalanche de plaisir, de contentement et de déclarations d'amour, dans ce qui s'annonçait comme l'expérience communautaire la plus formidable depuis Woodstock.

Puis vint le moment crucial d'obliger les élèves à choisir entre François, Pascal et Stéphane. L'éteignoir à concupiscence total, l'énorme malaise. Tout le monde, les participants, la salle, les téléspectateurs font face subitement à cette dure réalité d'un meurtre en famille. Le choc, le traumatisme. Pendant ce temps, le public vote; il «sauve» François. On respire quelques instants. Mais il faut faire face à la musique. Julie force le jeu, oblige les élèves à désigner publiquement Pascal ou Stéphane. C'est le drame.

Wilfred exprime exactement le sentiment de tout le monde: il dit choisir «entre deux frères». C'est l'éclatement de la famille... La division.

Déchirées, Maritza, Marie-Élaine et Émily votent pour Stéphane en pleurant. Suzie et Élyse s'objectent à autant de cruauté et votent parce que forcées en faveur de Stéphane. Dave complimente les trois gars et choisit Stéphane comme ça... Annie tire son vote au sort avec l'approbation nourrie de la salle. Seuls Marie-Mai et Martin se prononcent sans manifester d'émotion. La salle gronde, la mutinerie est proche. Daniel Boucher, qui jusque-là s'était montré un grand complice de cette fête de famille, pique une crise de nerfs. Julie Snyder multiplie les «euh euh». Stéphane éclate en sanglots, Pascal reste bouche bée. Étreintes, pause. Au retour, Julie tente de rassurer les gens sur l'état psychologique de Pascal; les filles d'un côté et les gars de l'autre entonnent un «Et c'est pas fini» sans conviction et reprennent le chemin du retour tristement, sans celui qu'ils ont rejeté.

Ailleurs, où le concept est utilisé, cette exécution en direct par les camarades demeure la partie la plus prisée par le public... On apprécie les formules hypocrites avant l'assassinat et les coups de Jarnac.

Le lendemain, Productions J inc. négociaient avec le producteur français, propriétaire du concept. Avec son accord, on allait changer la règle pour rendre le vote secret, tant du côté des élèves que des professeurs (à cause de l'élimination des premiers, le poids des seconds va augmenter).

La famille était sauve. Le show aussi... Imaginez les jeux en coulisses qu'on aurait connus, du genre: «Tu votes pour moi cette semaine et moi pour toi la semaine prochaine». Ou encore les clans qui auraient pu se développer et se monter les uns contre les autres, la gang de Stéphane contre celle de Martin...

On a évité le pire de justesse. Le public a soudainement retrouvé avec *Star Académie* l'euphorie des fêtes de famille. On ne pouvait pas lui gâcher son plaisir. Mais cet événement lui a rappelé tout le pouvoir qu'il avait sur le déroulement de l'émission. Il va alors imposer de plus en plus directement sa volonté.

L'encerclement de la métropole

Un film sort en salle. Il peut faire plus ou moins d'entrées au box-office, connaître un succès de notoriété, gagner des prix, recevoir de bonnes ou de mauvaises critiques. Mais en définitive, les jeux sont faits. On ne modifiera pas le scénario, on n'enlèvera pas des scènes mal reçues, on ne changera pas les personnages. Le film va rester tel quel tout au long de son existence, quelles que soient les réactions du public.

Au théâtre ou dans un spectacle, c'est légèrement différent. Le contact direct avec le public permet aux artistes, s'ils le désirent, de s'ajuster à lui. Le pouls de la salle est très éloquent et donne l'occasion aux artistes d'interagir avec les gens devant eux. Ils en profitent pour roder le show, jusqu'à ce que la relation leur semble bien établie, et le nuancer au gré des humeurs de chaque nouvelle salle.

Imaginez maintenant que le même public se représente de soir en soir. Les artistes devraient alors faire évoluer le spectacle à travers une sorte de dialogue permanent avec ces habitués. Et du coup, vous produiriez un show de télé...

La répétition est un phénomène majeur en télé. Elle incite le public à demeurer assidu, fidèle. C'est toute la différence entre un événement et des retrouvailles. Une visite au musée ou l'ouverture de la télé en rentrant du boulot. Une familiarité s'est installée avec la télé et les gens ne ressentent pas de distance entre eux et les personnalités du petit écran, contrairement au cinéma ou au théâtre.

En ce sens, on n'a pas à briser la glace pour amener les téléspectateurs à prendre part à une émission, à s'y impliquer. Ils se sentent chez eux. Ils le sont d'ailleurs, bien calés dans leurs fauteuils du sous-sol ou du living...

Le contenu des émissions devient malléable, vivant, changeant au gré de la relation avec le public, y compris dans les téléromans... N'a-t-on pas «ressuscité» Bobby, le frère cadet de JR dans *Dallas*, parce que les gens n'acceptaient pas sa disparition ? Ou accordé plus de place à tel ou tel personnage parce que le public le réclamait ?

De temps à autre, on sollicite directement sa participation, en l'invitant à se présenter à l'émission, à faire part de ses commentaires, à se procurer des objets reliés au programme : billets de loto, t-shirts, jeux de société (*La Fureur)*, etc. Ou plus directement encore, en inventant un mode quelconque de votation, comme dans le cas qui nous occupe.

Il ne faut pas nécessairement que tout le monde vote. Mais l'idée d'une élection polarise l'attention, crée un état d'esprit, fait en sorte que tout le monde se sent impliqué dans le processus. Un jeu participatif s'enclenche : vous annoncez vos préférences. Les gens autour de vous en ont d'autres. La discussion démarre. En parallèle, vous faites vos pronostics. Les autres expriment les leurs. La discussion redémarre. Cette dynamique s'amplifie de foyer en foyer, se multiplie, prend de l'ampleur. Et finalement cette rumeur va créer des lignes de force, des directions.

Si les gens dans la salle ne s'étaient pas offusqués, lors du second gala, du vote des concurrents les uns contre les autres, Productions J inc. n'auraient sûrement pas bougé, entrepris des négociations avec le producteur parisien. Elles auraient laissé la procédure intacte. On aurait probablement assisté à une violence acerbe, cynique, irrespirable au château. Cet état d'esprit aurait envahi les familles, les partisans. L'agressivité aurait étouffé net l'enthousiasme bon enfant qu'on a connu chez les supporters.

Bref, j'écrirais un livre sur une tout autre émission. Télé : matière vivante…

Il fallait avoir beaucoup de culot ou d'inconscience pour accorder une telle place au public. Habituellement, on s'assure de certains mécanismes de contrôle pour éviter les débordements. Ne serait-ce que d'enregistrer les émissions. Si ça dérape, on reprend. Ici, on a travaillé sans aucun filet.

Il était entendu que, chaque dimanche, on ferait des perdants. Ceux-ci – le concurrent ou pire, ses fans –, sous le choc, auraient nécessairement des réactions émotives, potentiellement explosives… Ils pourraient ne pas vouloir se soumettre au verdict, émettre des doutes sur la procédure d'élection, voire sur l'honnêteté des producteurs, crier à l'injustice, tenter une mutinerie contre l'émission.

On a eu droit à des pleurs, à des déceptions, à de brefs instants de ressentiment contenu, mais sans plus de dommages. Tout de suite après, les perdants se ralliaient, retrouvaient leurs esprits et la fête pouvait se poursuivre. Même si, parfois, il fallait dissimuler certaines mines chagrinées.

Le public appréciait avant tout le débordement festif. Les crises des perdants ne devaient donc pas entacher son plaisir.

Star Académie s'est présentée comme un concours dans le contexte d'une école couronnant les élèves les plus méritants, les plus talentueux. Le concours et l'école avaient leur importance puisque toute la dynamique de l'émission reposait sur ces deux activités. Mais *Star Académie* a très vite pris la tournure d'une énorme fiesta à la grandeur du Québec et de l'Acadie. Party les dimanches soir, mais aussi regroupement autour des élèves et de leurs activités durant la semaine.

François a compris le premier cette ressource fondamentale dans l'émission. Dès la première semaine, les profs l'ont «jeté dehors du cours» et confié au jugement du public. Juste avant sa performance du dimanche, il se confie: «M'a t'dire rien qu'une affaire, si la Gaspésie n'est pas avec moi là...» François, celui qui panse, qui console, qui rallie, qui part le party, celui qui a le sens inné de la solidarité est celui-là même qui réclame aussi le plus et le plus tôt la présence des autres autour de lui. Il est prêt à se consacrer à son groupe, à devenir une sorte de leader charismatique à Sainte-Adèle, mais pourvu que les autres l'appuient, que son monde le soutienne.

Le principe est simple et François l'a bien assimilé. Plus on sait que l'on va être secouru si on en a besoin, plus on va être porté à secourir et aider les autres. C'est ça la solidarité. Rien à voir avec la solitude et l'individualisme de la ville.

François va alors donner le vrai ton à *Star Académie*. Il va contribuer à transformer le gros party le fun en une vraie affaire de gang. Dans l'autobus du retour sans Pascal, pendant qu'Émily et Maritza pleurent encore, les académiciens portent un toast au perdant et François déclare haut et fort qu'il restera gravé dans leurs cœurs.

À la maison, il avoue être fier du fait que des «millions de personnes» ont voté pour lui. Il invente une chanson: «On est une gang tripante», fait danser tout le monde, les invite à «se garrocher dans la piscine». Il a ainsi fait s'évanouir les restes des derniers remords...

Mais le lendemain, Maritza, Marie-Élaine et Élyse concluent le pacte de s'entraider, de ne pas se lâcher jusqu'au dimanche suivant. Le ton était donné...

Une foule de téléspectateurs vont alors emboîter le pas à François: *Star Académie* va prendre l'allure d'une énorme démonstration de solidarité. Le concours devient prétexte au rassemblement. Il ne porte plus uniquement sur l'école, mais aussi sur les qualités charismatiques des candidats, sur ce qu'ils représentent comme force de regroupement.

À partir de ce moment, le concours ne visera plus à désigner essentiellement le meilleur chanteur ou la meilleure chanteuse, selon les critères de l'école, mais aussi à déterminer le ou la plus populaire, à partir du charisme de chacun. Les profs se chargeront peut-être de désigner le meilleur interprète, le public va surveiller le plus attachant... Chanteur, soit, mais populaire tout autant.

Dès la seconde mise en danger, chez les gars, Dave reçoit l'appui de Brian Mulroney au nom des gens de la Côte-Nord; François, celui de Bernard Voyer représentant les Gaspésiens; et Wilfred, celui de Bernard Lord, premier ministre du Nouveau-Brunswick, au nom de tous les Acadiens.

La solidarité prend toutes sortes de formes. Partout en Gaspésie, on se regroupe dans les bars pour regarder l'émission en gang. À Baie-Comeau, des restaurants proposent l'assiette «Dave» grâce à laquelle un vote va à Dave. La ville de Tracadie-Sheila est inondée d'affiches sollicitant des votes en faveur de Wilfred.

On parle alors de Davemania, de Frankmania et de Wilfredmania. Chaque région adopte les signes caractéristiques de son concurrent. En Gaspésie, les écoliers font de «Sweet Home Alabama» leur hymne régional, chanson associée à François. Les adultes portent des t-shirts à son effigie. En Mauricie, les enfants arborent le bandeau rouge de Jean-François. On y vend des macarons avec sa photo. À

Normétal, les gens ont inventé une chanson d'encouragement pour Stéphane. On y vend du pain « Stéphane ». Les coiffeurs proposent la coupe « Stéphane ». Le centre-ville est bourré de photos de Stéphane, visage et fesses...

Le maire de Saguenay se fait prendre les mains dans les goussets de la ville. Il avait pris mille dollars pour voter pour Annie. Il plaide en disant qu'il s'agissait d'un investissement touristique. Annie va devenir un attrait de plus pour le coin. Rassemblement, solidarité...

Dave, Stéphane, Annie, Suzie, François, Jean-François, Wilfred vont recevoir des appuis de taille.

La Côte-Nord, l'Abitibi, le Saguenay–Lac-Saint-Jean, la Gaspésie, la Mauricie, l'Acadie, dans toutes les régions touchées par *Star Académie*, les gens vont réagir, se mobiliser.

Mais plus on se rapproche de Montréal, moins l'effervescence se fait vive. Quelques remous dans les brasseries de Saint-Jérôme en faveur d'Émily et de Boucherville pour Marie-Mai. Sans plus. Et surtout aucun mouvement en faveur de Martin, Maritza et Marie-Élaine, les trois Montréalais. (J'élimine Pascal et Élyse de cette sélection, les soutiens populaires n'ayant pas encore pris forme lors de leur éviction.)

Plus on se rapprochait de la métropole, plus l'idée de la solidarité faisait défaut... Quelques amis de Martin, Maritza et Marie-Élaine ont bien voulu faire quelque chose. Mais où et comment ? Dans les bars de Ville LaSalle, du Plateau, de Laval ?

Star Académie a subitement mis deux choses en évidence : les régions existent ; du moins, elles regardent la télé. Elles ne sont pas des sous-cultures de Montréal. On y vit et pense différemment.

On n'est peut-être pas fort en diction en région. On a des accents qui tranchent. OK. Mais on n'est pas des «péteux». On n'essaie pas de «piler sur la tête des autres», de snober le monde pour avoir l'air différent et plus fin. On a le sens des autres, de la gang. On ne vit pas chacun de son bord, chacun pour soi.

Nos familles restent unies. On conserve le sens de la parenté. On a des cousins, des cousines, des grands-parents. Surtout on les fréquente, on en prend soin. En amour, on est authentique. On ne se gêne pas pour dire aux autres qu'on les aime.

Deux visions du monde vont ainsi émerger de *Star Académie*. D'une part, une vision marquée par le sens de la réussite sur une base individuelle, grâce à son talent, ses ressources, sa liberté toute personnelle et le plus souvent solitaire. D'autre part, une vision marquée par le succès dans l'approbation et la reconnaissance des autres autour de soi, dans le respect des liens du sang, du pays et de la fidélité.

Faire son chemin par soi-même sans attache ou faire son chemin avec l'appui des autres en demeurant lié à eux. Personne ne peut dire qu'il a la solution. Personne ne peut affirmer avec certitude détenir la vérité face à ces deux engagements de vie.

Mais *Star Académie* a souligné ces deux manières de voir la vie et les a confrontées. Le concours prenait un tout autre sens, l'école tout autant. Il ne fallait pas juste gagner, pas juste réussir les exercices. Il fallait donner un sens profond à tout ça...

Photo : Frédéric Auclair

Dès lors, *Star Académie* va devenir une joute d'amour incroyable. On va émettre et rechercher des marques d'affection partout. La mère de Wilfred s'effondre en larmes quand elle apprend que son fils a été sauvé par le public. Les parents de François sombrent quasiment dans le délire lorsqu'il est sauvé par l'Académie.

Émily est inconsolable d'avoir été éliminée, jusqu'à ce que Denise Filiatrault lui offre un rôle dans sa prochaine comédie musicale. René Bourdage offre à Maritza un poste à TVA pour l'été. Les trois médecins chargés des grossesses des épouses de Jean-François, Stéphane et François (trois familles en région, soit dit en passant…) rassurent les pères pour mieux les encourager à persévérer.

Les mots de soutien, les paniers de fruits, les cadeaux, les banderoles affluent au château. Les académiciens sont touchés et le rendent à leur public.

En parallèle, dans cette ambiance euphorique, Marie-Mai l'urbaine, la solitaire, la performante, craque. Elle est déçue d'elle-même. À chaque spectacle, elle se trouve poche. Elle voudrait tellement que tout soit parfait chez elle. Joselito, Martin et son chum tentent de la raisonner. Rien à faire. Elle s'enferme dans sa conviction. Marie-Mai a choisi la voie de la ville, la voie de l'individualité et du succès essentiellement personnel.

À la septième semaine, les quatre gars sont en compétition directe. On recueille les impressions de Martin. Il admet qu'il aimerait passer en finale. Mais peu importe, il est fier de ce qu'il a accompli jusqu'alors. On recueille les impressions de Wilfred. Il dit aux gens d'aller avec le cœur, d'aller avec celui qu'ils aiment et qui va avoir le mieux performé. Deux mondes se dessinent entre les deux concurrents; l'individualiste qui parle de lui, de son expérience et le communautaire qui se «donne» aux autres.

Quelques jours plus tard, le dimanche, les deux vont interpréter une déclaration d'amour, Martin avec un *Ne me quitte pas* brillant, la grande chanson de la désespérance et Wilfred, une ode toute sensible en hommage à son grand-père décédé. Une confrontation extraordinaire entre la dextérité et l'intelligence pour traiter de la solitude d'un côté, la sensibilité et la simplicité pour traiter de l'attachement de l'autre. Le public va choisir la vision la plus rassurante de la communauté, la plus éloquente sur les liens affectifs.

Après le résultat, la mère de Wilfred, heureuse, qualifie son garçon de trésor, «un trésor pour l'avenir, un trésor d'espoir». Celui qui a interprété un hommage au passé devient porteur d'avenir... Les liens se sont reconstruits. Le sens de la continuité et de la communauté a triomphé.

Après sa défaite, François va caresser le ventre de sa blonde pour sentir le bébé bouger. Il part content.

De leur côté, les deux autres perdants expriment des sentiments tout à fait individualistes. Jean-François se dit heureux d'avoir pris de l'expérience et Martin de l'assurance. Ça s'arrête là.

Deux mondes se sont frôlés, le temps d'un jeu...

Chapitre six

LA TÉLÉ-RÉALITÉ

Photo : Julien Faugère

Ce qui s'annonçait comme un simple concours de chant entre amateurs s'est transformé en éloge de l'école et de la performance des élèves. Puis la petite communauté de Sainte-Adèle, les parents ensuite et finalement les voisins ont ranimé l'idée du concours, transformé l'émission en vastes regroupements partisans et mis de l'avant l'élection d'un meilleur.

Dans n'importe quelle campagne électorale, les candidats font des efforts, donnent leur 110% comme le disent les sportifs, dévoilent les facettes les plus séduisantes d'eux-mêmes, font miroiter leurs plus beaux atours. Et une fois les résultats dévoilés, on se retrouve souvent face à des élus décevants, moches et sans envergure. Tromperie sur la personne? Qui dit vrai? Qui est sincère dans une telle circonstance?

En période électorale, nous devons demeurer attentifs à la crédibilité des candidats et à l'intégrité de la procédure. Et à cet égard, n'importe quel détail peut devenir révélateur.

En plus, comment savoir si les chances seront égales pour tout le monde? Comment peut-on s'assurer de la transparence de la procédure et de la justice de traitement pour chaque candidat? Surtout dans un contexte comme celui de *Star Académie* où on procède à une divulgation très sélective du vécu des concurrents. Le maître du jeu pourrait très facilement favoriser tel ou tel compétiteur, le mettre en valeur et à l'inverse piéger ses adversaires en dévoilant des aspects moins séduisants de leur personnalité.

Des petites choses apparemment insignifiantes, mais très efficaces, peuvent alors devenir révélatrices soit de la personnalité réelle des concurrents, soit des manigances du producteur. Un lapsus, une méchanceté inappropriée, une caméra visiblement trop insistante, un professeur partial, tout peut aider le spectateur à déceler des attitudes mensongères, des ficelles cachées, des tromperies calculées, des pactes secrets.

D'où l'importance d'observer les candidats au-delà de la scène, dans les coulisses, dans l'intimité de leur vie de château pour mieux saisir les vrais enjeux.

D'où l'idée de la télé-réalité.

La volonté des téléspectateurs de départager le vrai du vrai correspond à ce que d'aucuns appellent du voyeurisme. Or, ici, on est beaucoup plus proche du laboratoire de psychologie que du *peep show*. On veut saisir directement la réalité, mais surtout grâce à elle, la vérité de la situation. Le défi pour les téléspectateurs est d'une certaine manière paradoxale : on sait que tout ce contexte est artificiel, arrangé, « monté », mais on croit à la possibilité d'atteindre le naturel, le vrai, l'authentique dans ce montage.

Cette situation n'est pas du tout nouvelle…

La scénarisation de la vie ordinaire

La dramaturgie télévisée a développé depuis un demi-siècle une véritable culture de la vie quotidienne. Elle en a presque fait un culte. Une maisonnée, un bureau, un voisinage, un groupe d'amis remplis de personnages familiers et aux prises avec des problèmes de la vie courante. Une infidélité de passage, une manie sur les vidanges, une histoire d'amour qui tarde à se déclarer, un échec professionnel, une ado difficile à gérer, il suffit de peu pour alimenter les scénarios. C'est moins l'intérêt du sujet, sa grandeur, son déploiement qui comptent que la justesse des situations et des propos. Les biographies de gens célèbres prennent la voie du détail de la quotidienneté. Les histoires policières compliquées présentant des criminels pathologiques graves s'attachent avec beaucoup de minutie au réalisme et à la plausibilité de ces personnages. Le plus grand des héros, mais aussi le plus diabolique, est ramené aux dimensions d'une vie courante, comparable à la nôtre.

On est moins dans l'évasion que dans l'introspection de la quotidienneté, des sentiments habituels, des gestes courants. Moins proche de James Bond et ses pérégrinations dans les plus beaux sites du monde, que de Pôpa dans son sous-sol.

Le réalisme prime en télé. On recherche du vraisemblable, du juste, de l'exact. On va sacrifier la grandiloquence des images du cinéma ou la poésie du théâtre au profit d'un ajustement apparent, mais méticuleux avec la quotidienneté. Le génie propre de la dramaturgie télévisuelle consiste donc à se rapprocher le plus possible du réel, à en présenter un calque, à produire du sens à travers des histoires apparemment très banales et à laisser aux téléspectateurs le soin d'en apprécier la justesse.

Dans un monde comme le nôtre où les conventions ne sont plus consignées dans des répertoires de bonne conduite, des codes stricts («mets pas tes coudes sur la table»), où plus personne n'a le mandat de départager les bonnes et les mauvaises manières (comme les religieux l'avaient), où chacun doit décider personnellement de sa conduite, mais surtout de ses écarts de conduite, la dramaturgie télévisée sert de référence majeure.

Depuis un demi-siècle, sans s'en donner le rôle explicite, la télé, en particulier la dramaturgie télévisuelle, a reformulé l'ensemble des codes sociaux concernant les relations entre les hommes et les femmes, la recomposition des familles, les manières de manœuvrer l'autorité et de la subir, les façons de prendre sa place ou de répondre aux besoins des autres. Les mille et une facettes télévisées de la vie en société ont servi et servent toujours de balises, de guides pour ce qui est correct, acceptable, appréciable ou souhaitable dans le comportement des gens. Chacun reste maître de ses gestes; mais chacun dispose de modèles, ni idéaux ni condamnables. Des modèles moyens, disons, réalistes...

Dans ce contexte, nous, comme public, avons développé une extraordinaire culture du décodage des histoires grâce à la mise en scène des gestes de la quotidienneté. Rien ne nous échappe : un éclat de voix un peu trop enjoué, un frôlement compromettant, un regard insistant, une remarque tendancieuse, nous avons appris à tout prendre en considération. Sans même que nous sachions jusqu'à quel point nous sommes devenus de fins observateurs du comportement humain, tellement nos manières de lire les autres sont inscrites dans notre regard.

Normal alors qu'on veuille tester notre habileté à comprendre une situation en observant des personnes réelles plutôt que des comédiens qui jouent pour être compris, qui laissent donc plein d'indices dans leur jeu…

Dans la dramaturgie, nous apprécions déceler la part de vérité, de réalisme direct dans un ensemble artificiel, scénarisé. Dans la télé-réalité, nous nous intéressons à percevoir la part de faux dans une réalité globalement vraie, réelle. Dans l'un nous examinons la justesse, l'exactitude, la véracité d'un texte construit. Dans l'autre, la part de jeu, de tromperie et de rêve à l'intérieur même de la réalité.

Qui est le plus vrai, le plus authentique dans la vie ? Le comédien qui a travaillé son intonation à la perfection pour donner à une répartie un effet réaliste saisissant ou le patron qui vous sort n'importe quel gros mensonge pour vous mettre à la porte ? Le vrai est dans le faux et le faux est dans le vrai.

Dans la vie ordinaire, nous n'avons pas vraiment l'occasion ni le désir de faire semblant, mis à part le mari qui cache son infidélité ou l'ado, ses mauvais coups. Nous demeurons sans artifice la plupart du temps. Mais il suffit de changer légèrement le contexte, en nous obligeant, par exemple, à nous mettre en valeur dans une entrevue de sélection, pour que nous ayons tendance à construire un personnage avantagé, à nous créer une allure magnifiée. La vantardise fait partie de la vie...

C'est ce que *Star Académie* attend des jeunes sélectionnés: jouer leur propre mise en valeur 24 heures sur 24... L'émission fait appel à des gens qui n'ont aucune compétence comme comédiens, mais qui sont prêts à improviser, à se lancer à corps perdu dans un vaste jeu de société où tantôt la personnalité va surgir, tantôt le personnage de circonstance va vouloir marquer des points dans la joute de popularité.

Et tout le défi participatif laissé au spectateur consiste justement à départager la sincérité du calcul stratégique pour chaque concurrent, autant celui de son choix que son adversaire.

En fait, la télé-réalité vue sous cet angle n'a rien de nouveau. Elle nous met au défi de faire les mêmes lecture et interprétation que pour une histoire inventée. Nous allons recourir aux mêmes codes d'interprétation et de compréhension des «acteurs». Mais plutôt que présenter une fausse situation définie dans toute sa dimension, une «fiction», interprétée par des comédiens habiles à créer de la vraisemblance, on présente ici une situation artificielle, créée de toutes pièces, mais ouverte à beaucoup d'improvisations et jouée par des amateurs qui devront se débrouiller pour faire preuve de réalisme...

La crédibilité des acteurs

Au départ, personne n'a douté de la binette des quatorze concurrents. Des comédiens auraient pu se glisser parmi eux, histoire de mousser le show comme on l'a fait ailleurs déjà, par exemple à *Black Out au Lion d'Or*. En Allemagne, quand un des *Big Brother* (le deuxième, je crois) s'est mis à battre de l'aile, on a introduit dans le groupe une prostituée chargée de stimuler les humeurs concupiscentes. Rien de tel ici.

Aucun doute possible sur les CV. Wilfred a tout du vrai pêcheur de homards, Émily d'une monitrice musclée d'un centre de conditionnement. L'épouse de Jean-François attend vraiment un enfant. Aucune hésitation possible sur la gémellité des sœurs de Jonquière. Tout du vrai, de l'authentique, du vérifiable. On peut partir.

Le gala du premier dimanche file rondement. Tout le monde swing. On rit des fesses de Stéphane. Il est rayonnant de joie comme le reste. On a repêché Suzie et Pascal au passage. On a eu droit à de brèves et sincères descriptions par les proches des concurrents. Tout semble cohérent. Tout baigne...

Puis crac. Dès la première nuit, le drame éclate. On le saura le lendemain lors de la première émission quotidienne. Dans la nuit, Stéphane est saisi de convulsions; il vomit sans arrêt. Il est près de s'évanouir. Vite l'ambulance, l'urgence. Le diagnostic ne tarde pas : crise d'angoisse. Oh ! Oh ! Le grand gars solide, le forestier, celui qui dit tout ce qui lui passe par la tête nous cacherait-il quelque chose ? Le plus dégourdi de la gang, le sans-gêne serait-il beaucoup plus délicat qu'il ne le laisse voir ? Ses fanfaronnades ne dissimulent-elles pas une grande fragilité ?

Les jeunes ne sont donc pas aussi transparents qu'ils en ont l'air. Ils nous réservent des surprises, dirait-on. Cet événement a annoncé le déclenchement du jeu d'observation systématique. Il fallait partir à la recherche de la vraie nature de chaque concurrent. Finies les présentations; les personnages ne nous seront pas davantage expliqués. Il va falloir les suivre. Exactement comme dans un film policier ou une série télé, où on ramasse des indices explicatifs sur la psychologie des personnages dans le cœur de l'action. On va apprendre à les connaître en étudiant leurs réactions aux événements qui les confrontent.

Chaque élève devient une énigme à résoudre : Maritza est-elle vraiment à ce point peu sûre d'elle ou tente-t-elle d'attirer la clémence du public en sa faveur ? François est-il réellement le gars serviable et généreux qu'il prétend être ou fait-il ça pour ramasser des votes ? Pour être rendu là, Stéphane doit avoir fait preuve d'intelligence. Son côté Gros-Jambon serait-il une façade ? Et cette histoire d'aller prier Gerry Boulet pour qu'il lui donne du courage est-elle bien sensée ?

Très tôt, des tensions et des chicanes divisent Annie et Suzie. Elles se disaient pourtant très proches, quasiment soudées l'une à l'autre. Le malaise vient-il de la situation ou est-ce une commande du producteur ?

Dave et Marie-Élaine sont-ils aussi vulnérables qu'ils le laissent entendre ? À quoi tiennent les crises de larmes soudaines d'Émily ou de Marie-Mai ? Se sentent-elles à ce point désemparées pour perdre aussi facilement le contrôle de leurs émotions ou est-ce un débordement passager et superficiel ?

Quand Suzie se plaint d'être toujours la dernière dans les évaluations des profs, fait-elle cette crise pour juguler son stress ou pour attirer la compassion du jury ?

Chaque soir de la semaine apportera son lot de détails, petites anecdotes, remarques, blagues, émotions, déclarations d'amour pour que les téléspectateurs enregistrent, compilent et ordonnent les informations qui leur semblent les plus pertinentes de manière à se construire progressivement un portrait le plus juste possible de chacun. Ensuite, tout ça devient matière à discussion entre téléspectateurs... (Si nous avions le même enthousiasme en politique, les élections auraient une tout autre allure...)

On décèle chez certains assez rapidement leur façon d'être et d'agir. D'autres se livrent moins. Ou d'autres encore demeurent plus difficiles à décoder, présentent des caractères plus ambigus, plus énigmatiques. Trois traits psychologiques vont alors émaner des «personnages» de *Star Académie*.

1. Les caractères simples

Les concurrents de cette catégorie ont tendance à beaucoup se manifester sous le même angle. Ils deviennent alors vite prévisibles, quelle que soit la situation qui les confronte. Ils expriment une ou deux lignes de force et en restent là. Certains vont résister aux enseignements, d'autres vont «plafonner». Ils n'offriront pas vraiment de surprises évolutives. Ils composent la majorité des trois catégories: Pascal, Élyse, Dave, Maritza, Émily, Stéphane, Suzie et François.

Julie a surpris Pascal au lit en plein après-midi, comme s'il s'était enfoui dans un refuge profond. Lors de sa présentation, il reste seul. À Sainte-Adèle, il se tient régulièrement à l'écart des autres. Il avoue qu'ils perturbent sa concentration, sa démarche. En dépit de son âge, Pascal a tout de l'ado dans sa coquille pas encore prêt à attaquer.

Élyse a beau essayer de donner une texture complexe à sa personnalité en laissant entendre une double facette: la gentille jeune fille d'un côté, l'horrible mégère de l'autre, ce jeu d'inversion est trop immédiat, trop caricatural pour apparaître complexe et ambigu. Elle ne réserve aucune surprise.

Dès les premiers moments d'entrevue, Dave est apparu comme un garçon extrêmement sensible, dévoué et attentif aux autres. Il a manifestement besoin de sa famille. Les brèves réunions du dimanche soir demeurent des moments de grâce. Sympathique et sensible, Dave est vite limpide.

Maritza et Émily expriment deux extrêmes: la première cérébrale, la seconde physique. Toutes les deux sont épouvantablement anxieuses, mais négocient leur nervosité différemment. Maritza en reconnaissant son malaise et en essayant de le surmonter, et Émily en ne laissant rien paraître et en donnant l'impression d'une *superwoman*. Mais c'est vite décodé...

Les frasques de Stéphane étonnent, mais pas le personnage. On le repère facilement, à travers ses grossièretés, mais aussi dans son besoin des autres. Stéphane l'exhibitionniste.

De même pour Suzie. On va prendre l'habitude de ses sautes d'humeur, ses mécontentements, ses chialages. Elle va représenter la capricieuse de la famille. Ses crises de larmes émeuvent de moins en moins. Sa détresse semble trop superficielle pour être prise au sérieux.

Finalement, François reste égal à lui-même quelles que soient les épreuves qui se présentent à lui. Le bon caractère, le grand cœur tente de prendre le bon côté de ce qui lui arrive.

La transparence de leurs caractères ne les favorise pas nécessairement. Car cette catégorie regroupe tous les premiers éliminés. Et tous ont été menacés. Comme si le public et les professeurs avaient été plutôt attirés par des personnages plus retors, qui leur causaient plus de problèmes.

2. Les caractères secrets

Le silence et la discrétion de Marie-Élaine, Annie et Wilfred les placent à part. Ces trois-là s'imposent peu comparativement aux autres, sans pourtant donner l'impression de vouloir s'écarter du groupe. Ils ne font pas de crises, ne s'énervent pas, ne bondissent pas dans la piscine, ne jouent pas de tours. Toujours gentils, affables, de bonne humeur, mais sans woukaidi woukaida... Ils ne contestent pas les profs. Ils font leur petit bonhomme de chemin. La compétition les préoccupe, mais ils l'admettent peu, surtout se confient peu à cet égard. En cours de route, les profs vont douter d'eux. Ils seront mis en danger puis rescapés.

Marie-Élaine est timide, gênée et, de ce fait, difficile à saisir. Un contraste singulier se développe chez elle entre une fille apparemment peu sûre d'elle-même, effacée, peu sociable et une véritable bête de scène dès qu'elle ouvre la bouche. Que cache-t-elle au juste? Est-elle d'un calibre capable d'affronter les salles? Ce mélange de doute, de modestie et d'intensité donne des résultats étonnants et surtout intrigue les gens.

Wilfred n'a pas la simplicité des gens peu complexes, mais la simplicité des gens qui en font un principe de vie. À travers l'image de la bonhomie et de la modestie, Wilfred semble dissimuler une sagesse exemplaire, une véritable philosophie de l'existence, qu'il ne livre pourtant pas spontanément. Il ne refuse pas de parler de lui, mais il le fait toujours de manière à ce qu'on puisse tirer une leçon de son expérience. Par exemple, il a parlé très tardivement de son obésité et de sa maladie du virus mangeur de chair. Wilfred n'aurait-il pas une personnalité beaucoup plus complexe et problématique qu'il en donne l'apparence?

Annie est cette fille modèle illuminée par les enfants et les mondes de rêve, qui «capote» sans cesse au sujet de ce qui lui arrive. Serviable, disponible, diplomate, gentille, bourrée de talent. Mis à part les jurons, on ne lui connaît pas de défauts. Parfaite. Trop parfaite? Que dissimule cette jeune femme célibataire, insaisissable, qui préfère complimenter les autres et interroger les invités plutôt que parler d'elle-même? Il faut toujours se méfier des gens sans défaut...

3. *Les caractères énigmatiques*

Marie-Mai, Martin et Jean-François se sont adaptés aux exigences de l'Académie avec une facilité parfois déroutante, remportant régulièrement la palme des exercices. Ils n'expriment pas la perfection classique d'Annie, mais une autre forme, plus actuelle, plus conforme aux exigences de la vie moderne changeante, polymorphe. On les voit toujours en forme, de bonne humeur, exécutant n'importe quelle consigne de l'école avec souplesse, dextérité et créativité. Trop, même. On en vient à mal les percevoir à travers les jeux qu'ils tiennent, les nombreux visages qu'ils adoptent. Ils sont tellement à l'aise dans les rôles d'interprétation qu'on saisit mal leur vraie nature. Elle nous échappe dans toutes ces escapades imaginaires ou ces manières d'être politiquement correctes. L'artiste ou le *showman* sert d'écran à la personne. Jusqu'à quel point est-ce conscient et travaillé?

Marie-Mai n'a aucun doute sur elle-même. Elle est forte, solide, talentueuse, libérée. Elle a l'habitude de faire ce qu'elle aime. Sa sexualité, ses caprices de langage (sa manie de parler bébé avec son chum), sa manière d'aborder les autres, elle assume tout. Elle est directe, franche, pleine d'initiatives et prête à toutes les expériences. Tantôt sérieuse, tantôt cabochonne, attentive à tout et au-dessus de ses affaires. La fille totalement en contrôle d'elle-même. Puis soudain, l'orage, la crise de confiance totale. Elle devient inconsolable, sans aucune nuance, poche. Elle ne croit plus en son talent et personne ne pourra la raisonner. Puis la colère contre son amie. La violence, la fougue, l'acharnement. Où est passé ce sens du contrôle de soi qui la caractérisait tellement? De toute évidence, Marie-Mai est plus que la fille sereine et splendide d'énergie. Elle est plus sombre, plus complexe, plus difficile qu'un premier contact le laisse pressentir. Mais est-ce temporaire ou récurrent chez elle?

Jean-François a avoué se sentir plus mature et responsable depuis la naissance de son fils. Quelques jours plus tard, il se lançait dangereusement au-dessus de la piscine, sous le regard effrayé des témoins. Est-ce davantage responsable de s'amuser à faire le cascadeur? Émotions vraies ou feintes au sujet de la guerre et de ses engagements pacifistes? Lui qui aime tellement les compliments… Jusqu'à quel point est-il opportuniste? Il voit moins la chanson comme une affaire de passion que de carrière. Signe de maturité ou calcul stratégique? Jean-François a l'air le mieux préparé au monde du show-business. Justement! Jusqu'à quel point reprend-il à son compte les apparences trompeuses de ce monde?

Martin, le comique à messages, semble tout considérer à travers un prisme déformant, un filtre protecteur qui temporise ses émotions. Il n'exprime pas le romantisme des autres, mais plutôt un détachement badin et intrigant. Au travail, il est extraordinaire. Il réalise tout avec une facilité déconcertante. Il est le Zelig du groupe, devenant Lama avec Lama, Charlebois avec Charlebois, etc. Des performances troublantes, mais senties? Réellement senties? Toujours au-dessus de ses affaires, il semble même oublier la compétition. Comme s'il prenait tout à la légère, en demeurant extrêmement vigilant. Un clown sérieux, qui se cache derrière de multiples personnages. Insaisissable.

Un concours, un jeu, une émission de variétés, tout n'est que cela à la base. Et les trois personnalités énigmatiques ont semblé s'y conformer parfaitement: trois joueurs, trois tacticiens, trois spécialistes de demi-vérités. Comme quand vous vous transformez subitement en promoteur immobilier tantôt affable, tantôt implacable, dans votre famille, le temps d'un Monopoly...

Nous nous sommes tous amusés à trouver des équivalents professionnels aux candidats: Wilfred et Zacharie Richard, Annie et Céline Dion... Sorte de stéréotype de repérage des genres. Mais ce n'était là qu'une étape. Le jeu d'improvisation imposé aux candidats les a forcés à nous présenter des personnalités cohérentes face auxquelles les téléspectateurs doivent poser un verdict final: qui, parmi eux, est le ou la plus appréciable?

La télé-réalité nous amenait à tenter de percer la vérité de chacun au-delà du personnage qu'il se construisait. Nous pouvions ainsi développer un sentiment de pouvoir considérable sur les concurrents, un pouvoir de juge nous permettant de prendre parti en toute quiétude en faveur de Monsieur Untel ou de Mademoiselle Unetelle. Ne jugeant pas uniquement les performances et talents artistiques, mais le fondement même de leur personnalité.

Ce jugement ne pouvait avoir lieu qu'à la condition que ces «acteurs» puissent jouir de suffisamment de liberté pour exprimer leur vraie nature. À la condition donc qu'ils puissent évoluer dans un contexte qui ne soit pas trop «arrangé avec le gars des vues».

Le show anti-show

Tout le travail du téléspectateur devant une représentation de télé-réalité consiste à départager le vrai du faux, l'authenticité de la fiction, la sincérité de la simulation d'abord auprès des «personnages», mais aussi face à leur mise en situation.

Dès le début, nous nous sommes tous demandé si la tournée de recrutement de Julie Snyder chez les quatorze élus tenait du réel ou de la mise en scène. Était-ce la surprise totale ou les candidats faisaient-ils semblant d'être étonnés ? Les fesses de Stéphane étaient-elles authentiques ? Le réveil de Pascal conforme ?

Devant une émission de télé-réalité, le producteur et les téléspectateurs passent un contrat tacite. D'un côté, le producteur organise une sorte de vie normale, ici à la façon d'un camp de vacances huppé. Sans trucage, sans flafla. De l'autre côté, les téléspectateurs jugent de l'intérêt de l'émission en fonction de sa véracité.

Au-delà de la crédibilité des candidats, une autre évaluation intervient (à laquelle aucun téléspectateur n'échappe), portant cette fois-ci sur l'organisation du contexte général. Il faut que tout donne l'impression d'être le plus naturel possible, qu'on assiste à de vrais cours, à de vraies rencontres, à de vrais exercices, à de vrais repas, à de vraies chicanes, crises, déboires ou triomphes.

On ne doit jamais sentir l'intervention du producteur pour mousser l'intérêt en déclenchant ou télécommandant des gestes, des actions, des dialogues plus croustillants, plus « sexy », plus putains que ceux qui vont se déployer naturellement. Il faut faire le plus anti-télé possible (je parle ici des émissions de la semaine et non des galas).

Déjà, de savoir qu'on favorisait deux jumelles dans le groupe laissait planer un certain doute : se peut-il que les deux sœurs soient toutes deux supérieures à 4000 candidats ? De la même manière, qui n'a pas trouvé douteux le choix de Jean-François à quelques jours de l'accouchement de son épouse ? Les motifs des profs pour « sauver » Stéphane tenaient-ils vraiment à son talent ou à son côté *showman* ?

Il s'agit donc d'un drôle de contrat, inhabituel, où on fait tout pour donner l'impression qu'on ne s'occupe pas du téléspectateur. Moins on agit en fonction de lui et de ce qui l'attire normalement, plus il appréciera. Personnifié par Julie Snyder, mais surtout par Pascale Wilhelmy, le producteur va ainsi s'engager dans une sorte de jeu de la vérité avec le public, un jeu paradoxal, vicieux, qui contrevient directement aux lois les plus élémentaires de la télé : moins c'est spectaculaire, plus c'est intéressant…

Et au fond, en dépit des apparences, ce jeu va prendre plus d'importance que celui des concurrents. Le naturel de l'émission occupera plus de place que celui des élèves. Car tout le monde ne se donnera pas la peine de voter pour Wilfred ou Marie-Élaine, mais aucun téléspectateur n'échappera à l'observation systématique de l'authenticité de la vie à Sainte-Adèle. Le jour où on apprend que Stéphane est en fait un comédien engagé pour faire le guignol, tout s'écrase.

Les remontrances de Denise Filiatrault étaient-elles sincères et opportunes ? Les conciliations de Joselito

Michaud entre les deux sœurs, franches et nécessaires ? Les hésitations à récupérer Émily après la défection de Suzie, réelles ? Jusqu'à quel point obligeait-on les gars à suivre des cours de maquillage Maybelline ?

Mais, surtout, nous montre-t-on la vraie vie du château ? Dans les 26 minutes condensant l'activité de toute une journée, résume-t-on adéquatement les quelque 350 heures d'enregistrement autour des concurrents, des profs et des invités ? Jusqu'à quel point ne privilégie-t-on pas alors tel élève au détriment d'un autre dont on souhaite la « mort » ? Ne cache-t-on pas les crises de vedette de l'un ou l'autre élève devant les techniciens de l'émission ?

Les admirateurs de Marie-Élaine se sont plaints du peu de place qu'on lui accordait sur scène. Avaient-ils raison ? La télé-réalité devient une joute entre celui qui manipule et celui qui fabule, entre celui qui arrange la réalité et celui qui la conteste. Plus personne n'est neutre. Tout le monde en vient à défendre un point de vue. Le producteur protège sa crédibilité en donnant l'impression de ne toucher à rien. Et les téléspectateurs protègent leur préféré en voyant à ce qu'il reçoive un traitement équivalent, voire supérieur aux autres.

Tout le monde en vient à surveiller tout le monde, à développer des stratégies, des manipulations, des pressions. Alors que tout le monde devient hyperattentif à la spontanéité, au naturel, à l'improvisation et aux hasards de la vie, tout passe par les calculs, les mots bien placés, les gestes mesurés, les silences prudents, les organisations tendancieuses et les montages biaisés.

La télé-réalité en général, et ici *Star Académie*, devient donc un jeu extrêmement pervers, vicieux, paradoxal où on clame la vérité à travers une énorme complicité dans la fausseté… Ce qui n'est pas pire que donner (producteur) et se donner (téléspectateurs) l'impression d'une réalité, donc de véracité, à travers le réalisme de *Rumeurs* ou des *Poupées russes*.

Star Académie défend donc sa place dans un vaste courant de civilisation qui s'interroge sur ce qui est censé être vrai, direct, solide (la réalité) et sur ce qui est créé, inventé, imaginé, évanescent (la fiction). Pendant un demi-siècle, on a produit du vrai faux à travers la dramaturgie télévisée. Normal qu'un jour on veuille explorer l'inverse : le faux vrai…

Chapitre sept

LA RÉVÉLATION

Photo : Julien Faugère

La dramaturgie et la télé-réalité deviennent deux facettes d'un même phénomène de quête, de recherche de la réalité et, derrière elles, de la vérité des choses et des êtres.

En voulant se rapprocher du réel, la dramaturgie a expurgé progressivement de son monde le conte, la fabulation magique. Les héros, bons ou méchants, ont progressivement pris des dimensions plus modestes, plus proches de la nôtre. Au cinéma, quelques dinosaures résistent, les

Rambo et Terminator, James Bond, Hulk. Mais à la télé, tout est devenu à notre échelle, au niveau de Bart Simpson.

Fini donc le journaliste qui se change dans une cabine téléphonique avant de prendre son envol pour tuer l'extraterrestre de passage (Superman) ou le magicien professionnel, accompagné de son colosse Lothar, mettant sa magie au service de la justice (Mandrake).

Les personnages ont adopté des dimensions plus conventionnelles et perdu leurs pouvoirs prestigieux. Leurs vies aussi ont changé. Les superhéros chargés de sauver la moitié de la planète ont récupéré leur chômage. Ils ont été remplacés par des pères dépassés par leurs enfants, des mères exigeantes ou des enquêteurs de police plus ou moins paumés. Mais surtout le ton des histoires s'est modifié, passant du tout noir et blanc à une sorte de mélange favorisant les nuances et les subtilités.

Bref, la fiction télé a grugé peu à peu les grands symboles, les archétypes. Elle a pondéré les incarnations catégoriques du bien et du mal. Le héros salvateur et irréprochable qui partait seul tuer tous les Indiens a cédé sa place à un héros aux prises avec des doutes, des peurs, des démissions. De son côté, le gros méchant ogre puissant et irréductible s'est humanisé : on lui a découvert des failles, des faiblesses, des aspects sympathiques.

Les histoires ont cessé d'être des affaires débiles de courses de chars à travers Los Angeles (*Chips*), pour devenir plus fines, plus subtiles, plus subjectives surtout (*Ally McBeal*), reliées très souvent à des détails, des insignifiances tout de même révélatrices de l'intensité et de la valeur des gens.

Les héros s'appellent désormais Marie et Simon (*La Vie la vie*), Dyane et Frédéric (*Fred-Dy*), Benoit et Esther (*Rumeurs*). Nous nous identifions à eux non pour leurs exploits extraordinaires, mais pour leur ténacité, lucidité, générosité et autres traits positifs. Les héros négatifs sont aussi dans le décor. Mais loin de les rejeter à cause de leur caractère diabolique extravagant, nous les détestons pour leur lâcheté ordinaire, leur égoïsme quasi normal, leur légèreté de caractère, leurs façons d'être qui pourraient être les nôtres ou, du moins, celles de notre beau-frère.

Les histoires sont restées. D'amour, de haine, de passion, d'argent, de pouvoir, mais sans recourir à des monstres soviétiques ou asiatiques, ni à des Marilyn Monroe ou à des John Wayne. Ces affaires ont pris des proportions qui nous affectent davantage.

La dramaturgie a fait un nettoyage (ou saccage...) considérable des mythes et archétypes traditionnels. Elle nous a ramenés sur le plancher des vaches. Elle a bloqué nos envols de rêveries innocentes, de mondes pas compliqués avec des bons, des méchants et une princesse à sauver. Elle nous a forcés à adopter l'attitude de la mère de la fillette dans *Miracle de la 34e rue* qui lui défendait de croire au père Noël. L'overdose de réalisme a-t-il tué le surnaturel en nous?

Car si autant de sommations à la réalité finissaient par être assommantes, par nous priver d'une fantaisie, d'un espoir qu'on sait vain, mais sécurisant! Si, subitement, on regrettait le temps des contes, quel que soit notre âge! Et si, tout à coup, après l'effacement de la religion et du plus gros des mythes, Jésus-Christ le sauveur contre Lucifer le méchant, on souhaitait croire à nouveau au miracle! Pas à la magie noire d'Harry Potter, au vrai miracle. Partir de la réalité et voir cette réalité se transformer subitement, comme dans le temps où les handicapés se présentaient à l'Oratoire, le chapelet en main et l'espoir en tête...

D'où l'idée de faire des miracles en partant de la réalité... À reconstruire les mondes simples, binaires, où le bon et le méchant prennent l'allure du gagnant et du perdant. On va reprendre la structure classique de la traversée d'une épreuve et d'une récompense finale. Bref, pourquoi ne pas reconstruire un conte traditionnel, mais à la moderne et en partant du réel ?

Au-delà du concours, de l'école, du mouvement de popularité, du jeu de la vérité, une cinquième dimension apparaît dans l'émission : le retour du miracle et des archétypes.

La revanche du miracle

Dès ses débuts, la télévision a posé des gestes miraculeux. Chez nous *La Poule aux œufs d'or* a fait un énorme malheur, malgré la condamnation de l'Église, la seule habilitée à patenter des miracles à l'époque... On remettait de l'argent à des participants qui n'avaient eu rien d'autre à faire que de choisir le bon numéro : incroyable ! En dépit des avertissements de l'Église, les émissions de jeu se sont enchaînées, provoquant toutes sortes de surprises fabuleuses, dilapidant dans l'euphorie générale des tonnes d'argent et de cadeaux. *The Price is Right*, *Le Travail à la chaîne*, *L'Épicerie en folie* et des centaines d'autres jeux ont fait du miracle leur denrée quotidienne.

Miracles en prix, miracles aussi en notoriété (« Avant, j'étais juste une *no name* », disait Annie).

À cet égard, *Star Académie* n'est rien d'autre au départ qu'un énorme quiz, un *Jeunes Talents Catelli* revu et amélioré, où chacun peut, selon l'extraordinaire expression, «tenter sa chance», mettre sa chance en tentation.... C'est sa base, sa première définition. Wilfred a gagné. Il aura son disque solo. D'autres devront se contenter de prix de consolation.

Miracle de l'école, ensuite. Elle cesse subitement d'apparaître chiante, ennuyante, éternelle et devient un lieu d'expérimentation fantastique. Les élèves vont y côtoyer des professeurs, champions du monde ou récipiendaires de mille trophées. Ils vont jouir des équipements les plus «in», d'un encadrement vigilant et seront traités aux petits soins.

Pas étonnant alors que le miracle de la métamorphose ait lieu. En quelques jours, les cordes vocales se délient; le geste devient ample et généreux. L'assurance de la scénographie, de la scène, de soi comble le tout. Il a suffi de quelques consignes, recommandations techniques pour faire éclore un talent caché, disponible. Comme il suffit actuellement de quelques indications de spécialistes pour transformer le look d'un appartement, d'un jardin, d'une personne (*Changing Room* et autres émissions du genre).

Le miracle de l'école va jouer pleinement pour certains, ceux qui sont disponibles pour la métamorphose, ouverts au modelage de leur personnalité. Il va s'atténuer chez d'autres, qui vont «plafonner», résister à leur amélioration par crainte de perdre ce qu'ils ont déjà.

Miracle de l'acclamation populaire. Quand soudainement tout le monde vous connaît, mais surtout sans jeu de mots, vous «reconnaît», vous accorde sa reconnaissance, vous admire, vous appuie dans vos actions. Tous les élèves sauvés par le public ont subi un choc. Ils ont reçu ce soutien comme un hommage troublant et l'ont ressenti avec beaucoup d'émotion. Être connu, c'est bien. Devenir le centre de mouvements populaires, quelle sensation extraordinaire!

La célébrité tout à coup, les autographes, les salutations aux foules, les applaudissements nourris. La jeune étudiante en éducation préscolaire ovationnée au Centre Bell. Le petit pêcheur nommé «trésor national», l'étudiant en art dramatique tout aussi acclamé que Serge Lama, sinon plus. Qui aurait pu imaginer ça quelques mois auparavant?

Photo : Frédéric Auclair

Cette soudaine notoriété rejaillit sur les proches. Les parents, les amis, le fromager Boivin de Jonquière, le centre d'entraînement de Saint-Jérôme. Même la compétitrice amoureuse de Marie-Mai, Tamara, a été emportée par ce vertige. Des milliers de touristes ont tournaillé autour de la maison de Wilfred. Des centaines ont frappé à la porte et demandé à être accueillis par ses parents. On leur aurait dit ça un an auparavant…

Miracle de la télé-réalité. Où l'ordinaire devient subitement rempli de surprises émouvantes. La visite de Daniel Boucher, qui entre par la porte de derrière, l'air de rien, un soir comme ça après le souper. Jean-Michel Anctil en spectacle et l'entretien avec lui par la suite. La pratique de chant avec Ginette Reno, la visite éclair de Luc Plamondon, l'exécution de l'hymne national avant une joute du Canadien devant 20 000 personnes, le jet privé vers Las Vegas, le show de Céline Dion, les propositions de contrat, les disques platines. Subitement on plonge dans le grand monde où l'extraordinaire devient courant, normal, presque banal.

Plus largement, la réalité bascule progressivement dans le rêve, dans l'euphorie quotidienne tout en demeurant aussi réelle que si chacun avait poursuivi son « train-train » dans sa forêt, son usine ou son atelier. La vie a pris un tournant, s'est accélérée, est devenue magique.

Si tout est susceptible d'arriver, pourquoi alors se laisser entraîner à croire au merveilleux, à l'« inaccessible étoile », à pénétrer sciemment dans le fantastique et renouer ainsi avec les contes, refoulés par 50 ans de téléromans réalistes ?

Le retour de l'archétype

La majorité du temps, le miracle télévisé est simple et routinier. Quelqu'un décroche le gros lot. Les téléspectateurs apprécient temporairement les manifestations de joie des gagnants, les réjouissances de la salle, les félicitations nourries et mielleuses de l'animateur et c'est terminé. À la semaine prochaine ! Les lauréats encaissent leur chèque ou font immatriculer leur 4 par 4 et se fondent de nouveau dans la masse anonyme. Ils ont servi d'instrument pour prouver une fois de plus au monde la possibilité du prodige, sans plus.

D'autres miracles vont provoquer des cataclysmes plus marquants. Comme par exemple cette jeune animatrice qui a un jour réussi à mettre Serge Gainsbourg en boîte. Ce comédien talentueux qui s'est fait connaître tout à coup par une campagne publicitaire humoristique appréciée et qui a accumulé les rôles par la suite. Cette chanteuse populaire dirigée de main de maître par son agent, qui a transformé sa vie en conte des *Mille et une Nuits*, dromadaires compris.

Ces miracles ne tiennent pas uniquement au talent des gens concernés. Ils reprennent des figures symboliques importantes et établies dans la communauté. Julie Snyder, symbole de la «petite vite», héritière de la Poune, Bobinette et Dominique Michel, la femme qui compense la petitesse de ses atouts physiques par la vivacité de son intelligence. Benoît Brière, le clown de génie, cœur sur la main, héritier des Chaplin et Guimond. Céline Dion, la diva moderne, sur les traces de Streisand. Ces personnalités publiques plaisent par leur charme, mais aussi parce qu'elles reproduisent des traits connus et toujours appréciés par le public. On les aime pour ce qu'elles font, mais aussi pour la continuité qu'elles représentent. Elles ravivent une tradition, un symbole, celui de la femme dégourdie, du bon gars idéaliste ou encore de l'interprète de génie.

Les élèves de *Star Académie* ont tous été d'une certaine manière identifiés à des symboles de la chanson populaire. On a comparé Marie-Élaine à Piaf, Annie à Céline Dion, Émily à Britney Spears. C'était une manière de mieux les reconnaître et de les inscrire dans une catégorie, mais aussi de qualifier leur personnalité. En fait, ces références permettaient de faire le lien entre le contenu des chansons et leurs personnalités. Plusieurs fois, les profs ont fait ce commentaire: «Cette chanson n'est pas pour elle ou pour lui.» Autrement dit, ce texte ne correspond pas au symbole que l'élève projette, entre ce qu'il est et l'interprétation qui lui est le plus facile.

Plus le public trouvait des correspondances avec un modèle symbolique établi, «le chanteur à accent», par exemple, plus il adoptait l'élève rapidement. Du premier miracle, celui d'avoir été élu à l'Académie, émanait un second miracle, celui d'assister à une sorte de réincarnation d'un modèle, d'une Piaf, d'un Brel, d'un Leclerc.

On ne demandait donc pas seulement à un élève-interprète d'être lui-même, mais aussi de reprendre les traits d'un ancêtre, de renouer avec une tradition. L'innovation exigée passait avant tout par la possibilité et la capacité à reproduire un style et de rappeler un symbole puissant.

Beaucoup de personnes ont voté pour un candidat parce qu'elles croyaient réentendre une ancienne idole. En ce sens et en soi, le spectacle de *Star Académie* est éminemment traditionnel. On ne demande pas aux jeunes de faire du neuf, d'innover, de développer de nouveaux visages, mais de mimer les figures anciennes à l'aide de chansons archi-connues. Marie-Élaine, une fois, est arrivée avec une chanson inconnue, à la grande surprise des profs, et Wilfred a osé proposer une composition de son cru, dans un style par ailleurs parfaitement conservateur.

Ainsi on jugeait les interprètes non pas tant sur ce qu'ils apportaient de neuf que sur le symbole qu'ils ranimaient, incarnaient en quelque sorte. Mais on peut aller plus loin.

Après la «pêche miraculeuse», le miracle de la réincarnation, on peut aussi imaginer le miracle du conte merveilleux, la reprise d'une histoire fantastique. Le personnage symbolique devient alors le héros ou l'héroïne d'un archétype. Dans la cuvée 2003, deux archétypes majeurs sont apparus sous les traits des deux grands gagnants : Marie-Élaine et Wilfred. La jeune femme timide, renfermée, mais qui soudain s'illumine dans la salle de bal. Le jeune homme simple, franc, naturel, qui n'a pas été maculé par la vie moderne. Cendrillon et le Bon sauvage.

Marie-Élaine Cendrillon Thibert

Dès la seconde semaine, j'ai eu des discussions assez vives avec des amis à propos de *Star Académie*. Lors de l'une d'elles, Louis-Georges Girard, qui pourtant connaît les planches du bout des orteils et le public québécois du bout de ses yeux rieurs, soutenait mordicus que Marie-Élaine passerait le soir même à la guillotine. « Pourquoi tu dis ça ? » lui ai-je demandé. « Ben, voyons », a-t-il répliqué. Il n'osait pas le dire. Mais pour lui, c'était évident : Marie-Élaine n'avait pas le physique de l'emploi… Sa fille et son épouse n'ont pas raté l'occasion de lui tirer les oreilles, de le traiter d'arriéré et de lui remettre en mémoire Ginette Reno et Martin Deschamps.

Louis-Georges avait tiré des conclusions hâtivement, mésestimé la vigilance du public et oublié son sens de l'observation. Voici comment, peu à peu, les traits de ce personnage se sont dessinés.

« Il était une fois… une jeune femme discrète, timide, tranquille qui se destinait à devenir technicienne en bureautique. Un jour, elle a changé de logis et s'est retrouvée entourée de demi-sœurs beaucoup plus belles, charmantes et attirantes qu'elle. Elles étaient toutes conviées à un merveilleux bal, les dimanches soir, pour décider qui d'entre elles épouserait le prince. Au début, tout le monde pensait comme Louis-Georges qu'elle n'avait aucune chance, qu'elle resterait à la maison assise dans les cendres de l'âtre, triste et peu sûre d'elle. Mais c'était oublier sa marraine, la fée Julie, qui lui dit : « Tu voudrais bien aller au bal, n'est-ce pas?» «Hélas, oui», répondit-elle. La fée lui donna un cocher qui la guida (Joselito), six laquais qui l'accompagnèrent (les profs); elle transforma ses «vilains habits» en «habits de drap d'or et d'argent, tout chamarrés de pierreries». Elle la fit monter dans le carrosse «Star Académie», en lui faisant promettre de ne pas dépasser minuit. Au bal, elle fit un malheur. Elle dansait et chantait comme nulle autre.

Le premier soir elle revint sans trop de mal. Le second soir, étourdie par le bal, elle oublia l'heure et rentra précipitamment sans carrosse, comme une paysanne et non une demoiselle, après avoir échappé une de ses pantoufles de verre. Le charme était rompu. Elle fut mise en danger et elle risquait de ne plus pouvoir se présenter au bal.

Le Prince annonça qu'il épouserait celle à qui appartenait la pantoufle. Et le public s'est alors converti en gentilhomme, parcourant le pays pour retrouver la propriétaire du soulier abandonné.»

Vous connaissez la suite: «On l'amena chez le jeune prince [...] Peu de jours après il l'épousa. [Elle], qui était aussi bonne que belle, fit loger ses deux sœurs au palais, et les maria dès le jour même à deux grands seigneurs de la cour.»

Lors d'une entrevue présentée sur le site Internet de l'émission, on a demandé à Marie-Élaine quel était son conte préféré. Elle a répondu: «Cendrillon». Le rêve s'est réalisé.

Mais, surtout, toute la population en a été témoin. Toute la population s'est réjouie de ce prodige et de l'aboutissement heureux de cette merveilleuse histoire. (L'histoire de Perrault, il faut dire, parce que dans celle de Grimm, les sœurs eurent les yeux arrachés...)

Mais l'aspect le plus magnifique fut que ce destin, voué à la discrétion, à la vie recluse et modeste, chez quelqu'un d'aimable et de généreux, a reçu un coup de pouce de milliers de gens. Des milliers de gens ont voté pour que ce conte devienne réalité, ont contribué à faire du faux avec du vrai, de l'irréel avec du réel, à construire une histoire merveilleuse à partir de la vie bien concrète d'une jeune femme de Ville LaSalle au Québec.

Un jour on pourra dire: «Il était une fois... au printemps 2003...»

Wilfred LeBouthillier, le Bon sauvage

Photo : Olivier Samson Arcand et Yan Lasalle

La figure de Wilfred ne se rattache pas à un conte comme celle de Marie-Élaine, mais à un mythe vieux de quatre siècles. Il a pris forme dans la foulée des grandes découvertes de la Renaissance, en Amérique, Afrique, Océanie surtout. Qui étaient ces gens étranges rencontrés au fil des voyages? C'étaient des peuples aux mœurs exotiques profondément imprégnées de la nature. Les philosophes vont s'en inspirer pour tracer le portrait idyllique d'un être forgé essentiellement grâce à son contact avec une nature bienveillante, nourricière, protectrice, paradisiaque, par contraste avec les problèmes de plus en plus manifestes des conglomérats urbains d'Europe: pauvreté, pollution, épidémie, famine, criminalité, etc. D'où cette vision enchanteresse d'un «bon sauvage».

Ce mythe aura la couenne dure. Il réapparaîtra en art, en littérature, au cinéma. Il refera surface parmi divers mouvements de sectes prônant un retour à la terre, ou dans diverses modes, comme celle des hippies. On chantera alors les vertus de la vie à la campagne en dénonçant indirectement les turpitudes de la ville.

Ce Bon sauvage, consacré par la formule de Jean-Jacques Rousseau: «L'homme naît naturellement bon et c'est la société qui le pervertit», est vigoureux, simple, généreux, libre des contraintes sociales et politiques. Il ignore le mal et la corruption. Mais, surtout, une morale naturelle et détachée de la religion lui dicte le respect des autres et la nécessité de faire le bien autour de soi.

C'est l'être pur d'avant la faute originelle, dénué de toute malignité, violence et concupiscence. Il exprime l'antithèse parfaite de l'image négative du citoyen urbain, centré sur lui-même et obsédé par le succès, prêt à tout pour réaliser ses ambitions, la fortune, le pouvoir, le plaisir et la dépravation. Diderot a résumé les traits du civilisé et du sauvage. Le premier est marqué par l'orgueil, la perversion, le sentiment de supériorité et la ruse. Le second par la bonté naturelle, la sagesse vertueuse, l'accord avec la nature et la noblesse des sentiments.

Ainsi, au-delà du personnage comme tel se dessine une série d'oppositions beaucoup plus générales distinguant la nature de la culture, les bonheurs simples des ambitions démesurées et surtout égoïstes, la tranquillité bucolique de la violence urbaine.

Dans le contexte de *Star Académie*, cette opposition est évidente entre les élèves originaires de la campagne (utilisons l'euphémisme des régions) et les élèves issus de Montréal. Aux yeux d'une mentalité urbaine, Stéphane incarnait, par exemple, tout ce qu'elle rejette... Le bouffeur d'ailes de poulet qui se promène en bedaine et qui ronfle comme une locomotive incarnait l'autre « sauvage »... François, avec son sens de la solidarité, et Dave, avec sa très grande sensibilité, étonnaient les urbains, habitués à plus d'individualisme et de violence.

À l'inverse, une mentalité plus « régionale » avait du mal à accepter une Marie-Mai investie totalement d'une volonté de célébrité, d'un acharnement vengeur contre une éventuelle compétitrice. Elle avait aussi du mal à saisir Martin avec ses formules à double sens et son détachement énigmatique.

Mais par-dessus tout, Wilfred illustrait d'une manière quasi troublante l'incarnation de l'être pur, jamais souillé par la ville et ses tentations, démontrant une simplicité volontaire, une reconnaissance sincère à l'égard de ses parents, une loyauté amoureuse inébranlable, un pacifisme radical, un sens profond du travail et un désir de poursuivre l'œuvre de ses ancêtres, bien au-delà du progrès et des avantages de la vie moderne.

Quand il a placé un coup solide sur le nez de Martin lors de la séance de boxe, les téléspectateurs ont immédiatement réagi : son pacifisme serait-il une façade ? Mais il a tout de suite justifié son geste. Jamais il n'avait voulu faire de mal à Martin. La peur l'avait fait réagir par crainte de se retrouver, lui, au plancher... La scène disait tout : vigoureux, pacifiste et franc... L'archétype parfait... Qui avoue aussi simplement avoir peur de nos jours ?

Le côté exotique de ses origines, son accent, son prénom inhabituel et désuet, son métier relié directement à la nature, cette façon de se montrer simple sans être candide, courtois sans têtage, généreux sans calcul et, enfin, cette sagesse naturelle et ce sens inné de la poésie, bref, il rappelait tous les traits du mythe, un par un.

D'un côté, le Bon sauvage, celui qui arrive de loin, chargé d'air marin, promouvant une vie calme, douce, lente, authentique, saine. De l'autre, le dandy né du vertige de la ville, polymorphe, «polyvalent», le joueur livrant difficilement ses émotions et sentiments profonds. Deux profils, mais dans le fond un seul mythe composé de deux figures opposées. Wilfred d'un côté et Martin de l'autre...

Bien au-delà des personnes, *Star Académie* est devenue une mise en scène de symboles encore prégnants, illustrant des arts de vivre différents, des choix que nous faisons tous face à l'amour, au travail, aux autres et, par-dessus tout, au bonheur.

Après avoir éliminé les personnages moins évocateurs de symboles, on a voté moins pour les individus que pour ce qu'ils incarnaient... Et deux figures sont ressorties, celle de Cendrillon, la jeune femme effacée touchée par la Grâce, et celle du Bon sauvage, influencé par la nature et ses bienfaits.

Je ne prétends nullement que Productions J inc. et TVA avaient prévu ce résultat. Cette évolution vers l'épuration des images s'est effectuée au cours même de l'émission, dans son cheminement, avec la complicité du public. Je le répète: la télévision est une matière vivante. Elle se donne le droit de prendre des directions inattendues... Un *Loft Story* ou un *Star Académie 2* pourront aboutir à des résultats tout autres, devenir ou non porteurs de messages aussi catégoriques, faut voir. Il est là le côté à la fois fascinant et déconcertant de la télé: on ne sait jamais trop où on s'en va avec elle...

Mettre la vie en scène

Le miracle a fonctionné à plein. Il nous a permis de voir renaître des symboles enfouis dans nos imaginaires depuis belle lurette et de leur donner un nom, une véritable incarnation. Ces utopies du bonheur, grâce au coup de baguette magique et grâce à l'apparition d'un personnage plus vrai que nature, ne devraient pas surgir chez les gens posés, intelligents et raisonnables que nous sommes. Pourtant nous y restons attachés, tout comme nous jetons chaque matin un regard furtif sur notre horoscope ou nous laissons tenter par un 6/49. Tout à coup...

Ces idéaux, ces idées nous habitent tout autant que nos peurs endémiques, elles aussi bien installées dans nos imaginaires. Celles-là même qui provoquent des paniques à la moindre alerte. Qui nous font encore éviter de visiter New York ou Toronto, de prendre l'avion ou de descendre dans le Chinatown.

Nous aimons l'irrationnel, le rêve, la démesure imaginative parce que ce monde fait partie de nous tout autant que le rationnel, le raisonnable et la certitude. Nous sommes donc vite complices d'une mise en scène de l'impossible, de son théâtre. Et surtout le théâtre de la mort, pour nous donner l'impression de la vaincre.

À cet égard, il faudrait décortiquer finement les topos du lundi soir résumant la participation du candidat éliminé la veille. Simulacre troublant d'un éloge funèbre, avec ses images au ralenti comme si elles faisaient la synthèse de toute une vie, ses réjouissances, ses mimiques drôles, sa musique de circonstance, un salut final et quelques secondes de silence. Tout pour mettre la mort en scène, une façon de se l'approprier sous forme de jeu funeste en ayant quand même l'assurance que tout cela était faux.

Et tout cela était effectivement faux. Une dernière image l'a prouvé, quand subitement tout le groupe s'est reconstitué à la fin du dernier gala. La petite société tout entière de Sainte-Adèle retrouvait son intégrité du début. Il ne manquait aucun apôtre... À travers l'effervescence, la vigueur, la vitalité de tous et de chacun, la vie avait repris...

Dernier miracle donc, dernier symbole, le plus puissant et le plus utopique de tous, la résurrection.

Au tout début, ils ont surgi dans un halo de lumière, nés de la magie des ondes. Ils ont été ressuscités de la même manière, en émergeant de la même lueur irréelle, prêts désormais à répandre la bonne nouvelle, à partir en tournée...

Conclusion

Photo : Olivier Samson Arcand et Yan Lasalle

Star Académie a entraîné les téléspectateurs à la recherche d'intermédiaires entre le monde utopique de l'imaginaire et le monde réel. Ces messagers ont stimulé un sentiment collectif, amenant les gens à entendre les messages d'un au-delà.

On a ainsi pu distinguer les meilleurs messagers à la qualité du génie enfoui, secret et protégé par quatre carapaces.

Les candidats devaient d'abord accepter de se laisser modeler par l'école dans un contexte de compétition. Pascal et Élyse n'ont même pas voulu se mesurer aux autres. Stéphane et Suzie se sont vite mis sur la défensive, refusant que les professeurs touchent à leur intégrité personnelle. Leur carapace est demeurée intacte.

Deuxième épreuve, devenir un leader charismatique. Qui pouvait se découvrir le potentiel d'un rassembleur? Les porteurs d'identités fortes, grâce à leurs origines, furent favorisés parce que fortement soutenus, défendus par leurs groupes d'appartenance. Les autres devaient se défendre avec leur talent. Dans ce contexte, Dave, dont la discrétion, la timidité et le besoin de sa famille l'éloignaient de cette mission, Maritza, dont le manque de confiance devenait endémique, et Émily, dont l'énergie ne comblait pas les lacunes d'interprétation, ont dû quitter Sainte-Adèle. Les autres candidats ont nourri des mouvements de solidarité (Wilfred, Annie, François, Jean-François) ou de sympathie grâce à des performances étonnantes (Marie-Mai, Martin, Marie-Élaine).

Troisième enveloppe à soulever: la vérité de chacun. Trois types de personnalités ont joué le jeu de cette vérité. Ceux qui avaient tendance à ne rien cacher, ceux dont l'ambiguïté faisait partie de leur personnalité et ceux qui, finalement, se dévoilaient timidement mais progressivement. Le premier groupe, les simples, a été peu à peu éliminé. Une confrontation tacite, amorcée dès les débuts de l'école, est alors apparue entre les candidats préférés des professeurs, les énigmatiques: Jean-François, Marie-Mai, Martin et les candidats sauvés par le public, les secrets: Marie-Élaine, Annie et Wilfred.

Restait le quatrième dévoilement, contrôlé entièrement cette fois-ci par le public: qui parmi eux donnait l'impression de renouer le plus solidement avec les grandes valeurs, les symboles traditionnels les plus puissants ? Cette dernière reconnaissance est revenue à Marie-Élaine, ranimant tellement bien le conte de Cendrillon, et à Wilfred, incarnant d'une manière exemplaire l'archétype du Bon sauvage.

Tel a été ce jeu, cette magie de la découverte, cette ranimation d'une croyance ancestrale d'un don chez certains pour qui une mission les attend.

Ma position

Au-delà du décodage que le professionnel en moi peut faire, comment le téléspectateur moyen que je suis a-t-il apprécié *Star Académie ?*

D'abord, comme bien du monde, l'énorme campagne de publicité directe, indirecte et maligne autour de cette émission m'a sensiblement indisposé. Trop, c'est trop et, surtout, ce n'était pas du tout nécessaire. Très tôt, nous avions l'assurance que le succès était acquis, ça ne servait à rien d'en remettre, de continuer à faire la une du *Journal de Montréal* avec les jeunes, de leur consacrer des pages entières dans les magazines, de les lancer dans n'importe quel festival ou piscine d'eau. Tout ce battage a menacé la magie du *momentum*.

Selon moi, ce trop-plein de promotion a nui au spectacle. Autant cette émission laissait de la place à l'improvisation et aux surprises, autant nous, téléspectateurs, avions l'impression du contraire, d'être surveillés, piégés, dirigés, canalisés vers TVA à 19 h 30 les jours de diffusion.

Les critiques les plus acerbes ont attribué le succès de *Star Académie* au battage publicitaire monstrueux dont il a été l'objet. À mon avis, c'est fort discutable. *Star Académie* avait le potentiel d'un grand show: l'émission pouvait lever par elle-même. On n'avait pas besoin d'en faire autant. *Star Académie* pouvait se passer de cette promotion démesurée et Quebecor pouvait se passer d'une telle publicité négative...

Ensuite, j'y reviens. *Star Académie* n'a rien d'une Académie. C'est le vieux professeur qui s'exprime et qui défend ce à quoi il a consacré sa carrière. On n'a pas appris à Sainte-Adèle; on a fait semblant d'apprendre. On a dressé des petits chiens savants pour qu'ils exécutent des numéros. L'école est beaucoup plus exigeante et fascinante que les quelques conseils de Madame Filiatrault et les push-up de Bruny Surin. Et surtout, il n'y a pas de jobs qui vous attendent automatiquement après avoir obtenu votre diplôme: ça ne fait que commencer...

Et enfin pour l'essentiel, à mes yeux d'intellectuel de Montréal, de professeur à l'UQAM, de gars de cinquante ans, *Star Académie* est une émission profondément régressive et conservatrice: un «show de matante» pour reprendre une dernière fois l'expression de mon étudiante.

En dépit de tout le flafla des galas, des émissions quotidiennes de télé-réalité, du simulacre de l'école, du prestige des invités, l'émission avait sans cesse un arrière-goût de vieille méthode, de vieille mentalité. On est resté dans la recette classique du chanteur éprouvé, populaire, payant, conformiste, sage, ennuyant. On a fait du mimétisme d'artiste, pas de l'art: du Michel Louvain, pas du Richard Desjardins.

On n'a pas renouvelé l'expression musicale, mais produit des clones de vedettes québécoises quand elles avaient elles-mêmes vingt ans. À cet égard, *Star Académie* ressemble plus à un festival de vieilles tounes, à une commémoration, à un spectacle de souvenirs, qu'à la découverte de nouvelles figures musicales.

Mais était-ce là le but de cette émission ? C'en était sûrement le prétexte, la raison d'être. Mais n'était-on pas plus préoccupé à « faire de la magie » qu'à développer des voix ? À jouer avec une fausse vraie réalité dans la bulle du château de Sainte-Adèle ? À donner l'impression d'une métamorphose automatique et professionnelle avec deux, trois conseils et quelques gammes ? À voir se développer des mouvements de solidarité enthousiastes des quatre coins du pays et, finalement, à inviter les téléspectateurs à prendre part à un immense conte de fées en amenant au pinacle une jeune étudiante en bureautique et un jeune pêcheur de homards ?

On n'est jamais sorti du moule du chanteur populaire et de ses valeurs rassurantes. On a fait de ces jeunes des petits vieux avant même qu'ils aient trente ans, ni même vingt ans. On les a confinés à une époque, comme si on avait obligé Diane Dufresne à chanter du Murielle Millard quand elle avait leur âge. Parce que la raison d'être du programme n'était pas la découverte de nouveaux talents, mais la création de vedettes. On est très loin de Dédé Fortin.

Je n'ai donc jamais regardé cette émission pour les performances artistiques des jeunes. Je l'ai regardée pour son délire. Pour son extraordinaire liberté. On a créé de toutes pièces un événement autour duquel tout pouvait arriver, mais à la condition que les téléspectateurs embarquent. Ils ont effectivement embarqué. Dès le premier soir, ceux des régions en particulier ont compris que, pour une fois, on avait pensé à eux. On était allé les voir. On avait enfin reconnu chez eux autant de talent qu'à Montréal.

Ce fut le début du raz-de-marée. La nouvelle s'est vite répandue. Le monde de Montréal a prêté attention et c'était parti. Et à travers son délire, l'émission exigeait de n'importe quel spectateur le moindrement attentif de prendre parti à travers un personnage. Miser sur le courage de la jeune immigrante Maritza. Se réjouir qu'enfin un gars de bois, Stéphane, ne fasse pas le colonisé devant les Montréalais. Vibrer aux doutes existentiels de Suzie, comme tant de jeunes gens en doute d'eux-mêmes le ressentent. Les formes symboliques, mais surtout les jeux d'opposition étaient suffisamment discrets pour ne pas tomber dans la caricature, par exemple Stéphane contre Martin, et assez clairs pour que certaines valeurs puissent ressortir sans ambiguïté.

Star Académie cachait une structure «anthropologique» plus intéressante et plus malicieuse que les critiques superficielles l'ont laissé entendre. Au-delà des stepettes d'Émily, des grivoiseries de Stéphane, des crises de Suzie, des doutes de Marie-Élaine, des accords de Wilfred, des cafouillages de Julie, de la synergie de Quebecor et de la surcommercialisation de l'émission, une activité symbolique intense a capté l'attention des téléspectateurs, de vous, de moi, de millions d'individus.

Symboles du destin heureux subitement transformés dans le concours, du génie sans effort à l'école, de la solidarité familiale étendue à des régions entières et, finalement, réincarnations de mythes traditionnels importants. Sans un attachement à ces symboles, sans une fascination pour les jeux de déplacement du réel au fictif et inversement, sans un faible pour les contes, histoires de fées et images paradisiaques, *Star Académie* n'aurait jamais existé, ou du moins elle serait demeurée au niveau du concours d'amateurs.

L'émission a éveillé une disponibilité à des croyances utopiques, aux belles histoires, mais vraies cette fois-ci, aux contes de fées qui arrivent.

Est-ce légitime? Moralement acceptable? Cette émission a-t-elle infantilisé notre imaginaire en nous faisant croire au père Noël une fois de plus? Chez des enfants, ça paraît acceptable, mais pour des adultes comme nous, même consentants? Chose certaine, et en toute sincérité, si nous voulons condamner en bloc *Star Académie*, nous allons devoir condamner aussi notre propension aux rêves et aux contes de fées.

À côté de la manière tout à fait rationnelle, raisonnable, scientifique de voir le monde, celle que nous montrent nos parents et l'école, peut-il exister une autre façon, proche de l'acte de foi, de la magie et d'un contrôle surnaturel du monde, à la manière d'Harry Potter? Un monde fait de transformations prodigieuses, de popularité instantanée et d'accès immédiat aux plus belles choses de l'existence?

Bref, est-il légitime et sain de croire à la magie autour de nous? Même à la magie régressive, réconfortante, qui fait monter des larmes de bonheur aux yeux à regarder un jeune marin gratter sa guitare pour nous parler de son grand-père?

Peut-être que, au fond, il nous manque quelque chose pour être à ce point hypersensibles. Un peu plus de famille, d'amitié autour de nous, un peu plus d'affection, de sécurité, de solidarité? Quelque chose pour nous permettre de faire sortir le Bon sauvage en nous…

Sur le plan rationnel, voir l'entêtement des dirigeants de Washington qui font fi des millions de gens les pressant de ne pas saccager l'Irak, constater le peu de ferveur que soulevaient les élections québécoises et finalement être témoin de l'hystérie autour de *Star Académie* avait de quoi en décourager plus d'un... Mais nous pouvions aussi constater que même si les trois événements sollicitaient notre implication en nous enlignant derrière les GI, en prenant parti le 14 avril et en nous attachant à une émission de variétés, nous admettions déjà à ce moment que Bush se foutait du monde entier, que les politiciens québécois jouaient entre eux un petit jeu qui ne nous concernait guère et que, au moins, *Star Académie* nous donnait l'impression de faire partie de la game et de la gang.

C'était beaucoup moins capital et sérieux que de décapiter un pays ou que de changer de gouvernement, mais nous n'avions pas l'impression d'être complètement ignorés ou pris pour des imbéciles.

Il existe une loi, bonne pour toute société depuis toujours: les gens accordent de l'importance à ceux qui les respectent et surtout qui tiennent compte de leurs désirs les plus chers, y compris le désir de rêver.

Les participants

Photo : Olivier Samson Arcand et Yan Lasalle

FRANÇOIS

Photo : Olivier Samson Arcand et Yan Lasalle

MARTIN

Photo : Jean Langevin

MARITZA

Photo : Olivier Samson Arcand et Yan Lasalle

MARIE-ÉLAINE

Photo : Jean Langevin

SUZIE

Photo : Julien Faugère

STÉPHANE

Photo : Julien Faugère

JEAN-FRANÇOIS

Photo : Julien Faugère

MARIE-MAI

Photo : Julien Faugère

ÉLYSE

Photo : Julien Faugère

WILFRED

Photo : Julien Faugère

PASCAL

Photo : Julien Faugère

ANNIE

Photo : Julien Faugère

DAVE

Photo : Bruno Petrozza

ÉMILY